D0718337

ORAGES EN SICILE

Déjà parus
dans la collection « Turquoise »

La nuit est a nous. Nelly
Jusqu'au bout de l'amour. C. Pasquier
La Fiancée du désert. E. Saint-Benoit
Mirage a San Francisco. A. Latour
Coup de foudre aux Caraïbes. B. Watson
Tempête sur les cœurs. I. Wolf
Et l'amour, Béatrice ? A. Christian
Rêve d'amour à Venise. H. Evrard

KAREN NEYRAC

ORAGES EN SICILE

PRESSES DE LA CITÉ — MONTRÉAL

ISBN 2-258-00574-4

CHAPITRE PREMIER

LES yeux fermés, Nelly se laissait gagner par un délicieux bien-être. Les battements de son cœur s'atténuaient, et la douceur du sable tiède contre son corps l'engourdissait peu à peu.

Derrière ses paupières closes, elle percevait le clapotis des vagues. Malgré l'ardeur du soleil, sa peau gardait encore la fraîcheur de ce bain matinal, le bruit de la mer et le chant des cigales meublaient le silence.

— *Che bella ragazza!*

Une voix masculine aux inflexions caressantes la tira de sa torpeur en la faisant sursauter. Elle tourna vivement la tête, et vit, la surplombant de toute sa hauteur, un homme qui lui parut immense, vêtu seulement d'un short blanc. Il souriait.

Sa stupéfaction la laissait sans voix. Il reprit aussitôt, dans sa langue cette fois :

— Française?

Elle s'était assise. Sa main chercha à atteindre la serviette de bain. Elle répliqua, sur la défensive :

— Comment le savez-vous?

— Ce n'est pas très difficile... Il montra du doigt le magazine qu'elle avait posé près de ses vêtements, juste avant d'aller se baigner.

Elle fit la moue. «Décidément, ces Italiens, tous les

mêmes... » pensa-t-elle, « avec eux, pas moyen d'avoir la paix ! »

Comme s'il avait lu dans son regard, il éclata de rire. Dans son visage bronzé, ses dents luisaient.

— Vous croyez que j'essaie de vous draguer, et ça vous déplaît. C'est ça, non ?

Bien qu'il s'exprimât parfaitement, son accent italien était prononcé.

— Je l'ignore, mais je suis venue ici, en Sicile, pour être tranquille, loin de tout. Alors, si dès mon arrivée...

— Vous vous trompez. Ici, nous avons le sens de l'hospitalité. Nous savons respecter la paix d'autrui. Mais nous avons aussi le sens de la beauté...

Malgré son agacement, elle ne put s'empêcher de saluer le compliment d'un sourire.

— Vous êtes seule ?

— Décidément, c'est un interrogatoire !

Que répondre ? Oui, seule, elle l'était en effet. Malgré elle, elle jeta un regard circulaire. Sur la plage déserte de cette petite crique nichée au pied de rochers escarpés, il n'y avait pas âme qui vive. Saisie d'une inquiétude soudaine, elle se releva d'un bond. Secouant ses courts cheveux dorés, elle ramassa le short et le T-shirt qui gisaient à ses pieds.

— J'ai à faire. Il est temps que je m'en aille...

— A faire ? Quand je suis arrivé, vous n'aviez pas l'air précisément pressée...Vous avez peur de moi ?

Peur de lui ? Elle le dévisagea ouvertement. Grand et mince, il lui parut plutôt séduisant. Ses cheveux sombres et bouclés, décoiffés par le vent, adoucissaient son visage aux traits nets.

« Un pur-sang » pensa-t-elle fugitivement...

Depuis l'instant où il lui avait adressé la parole, il n'avait pas esquissé un geste, ni un pas vers elle. Elle haussa les épaules.

— Peur ? Non. Seulement je ne parle pas à des inconnus...

C'est tout ce qu'elle avait trouvé à dire pour masquer son embarras.

— Vous avez parfaitement raison. Pardonnez-moi ma grossièreté. Je m'appelle Aldo... et vous ?

— Nelly.

Extrayant un paquet de cigarettes de sa poche, il le lui tendit.

— Vous fumez ?

— Non merci.

Calmement, il en prit une qu'il mit entre ses lèvres. Puis il l'alluma en protégeant la flamme de ses deux mains réunies. Elle remarqua qu'elles étaient fines et racées, et qu'il portait à l'annulaire une chevalière armoriée. Après avoir aspiré une bouffée, il reprit :

— Vous n'avez pas répondu à ma question. Êtes-vous seule ? Qu'êtes-vous venue faire ici ? Il n'y a pas beaucoup de touristes dans cette région... Savez-vous qu'il est dangereux pour une jeune femme, surtout si elle est jolie, de venir se baigner en solitaire ? Ici, ce n'est pas comme en France, les hommes sont comme des loups. Des loups qui n'hésiteraient pas à dévorer les petites chèvres imprudentes comme vous...

Elle hésitait. Elle ne savait quel parti prendre. Rester ? Mais l'inconnu avait troublé sa quiétude. Partir ? Ce serait paraître céder à la peur, ce qui n'était pas dans son caractère. L'irritation la gagna.

— Je n'ai de conseil à recevoir de personne. Je suis libre de faire ce que bon me semble, et je...

Elle s'interrompit brusquement. Il ne faisait plus attention à elle. Les yeux fixés sur le sommet de la falaise, il paraissait en alerte, les muscles tendus, sur le qui-vive. Son visage avait changé d'expression : le sourire avait disparu, et deux plis s'étaient formés entre ses sourcils.

Machinalement, elle suivit la direction de son regard. Il lui sembla discerner une silhouette qui disparut presque aussitôt. Le visage soucieux, il s'adressa à elle distraitement :

— Eh bien, je vous souhaite un bon séjour dans notre pays, mad... Nelly... Mais soyez prudente.

Son ton était devenu froid, distant. Sans sourire, il s'inclina légèrement vers elle, comme pour un salut, et il s'éloigna rapidement, à grandes enjambées souples.

Interloquée par le changement brutal qui s'était opéré dans le comportement de cet homme, encore inconnu quelques minutes auparavant, elle resta interdite. Un instant, elle eut envie de courir derrière lui, de lui demander... quoi ? Elle n'en savait rien.

C'est alors qu'elle remarqua à l'extrémité de la plage un canot pneumatique. Elle le vit s'en approcher, ramasser deux sacs qu'il mit, d'un geste preste, dans l'embarcation. Puis, d'un bond agile, il sauta dedans. Un instant plus tard, elle entendit le moteur ronronner, et dans une gerbe d'eau, le bateau démarra en trombe et s'éloigna du rivage.

Rêveuse, elle le suivait du regard. Elle distingua, à une distance qu'elle était incapable d'évaluer, un îlot vers lequel le canot semblait se diriger. Elle regretta d'avoir laissé ses jumelles dans la voiture.

Maintenant qu'elle se retrouvait seule, elle se sentit désemparée. Cette brève rencontre l'avait troublée étrangement. Le soleil qui avait séché son maillot fit sentir sa morsure sur sa peau brûlante.

A pas lents, elle se dirigea vers la mer, et se laissa glisser doucement dans l'eau fraîche. Mais après quelques énergiques mouvements de crawl, elle regagna le rivage. Le cœur n'y était plus.

— Il a gâché ma matinée, maugréa-t-elle.

Sans hâte, elle s'essuya. Puis elle enfila ses vêtements. Elle constata avec satisfaction que sa peau avait déjà un hâle doré qui lui seyait.

En dépit de l'ardeur du soleil, elle grimpa légèrement le long du sentier escarpé qui serpentait dans la rocaille. L'air vibrait du concert assourdissant des cigales. Un délicieux parfum où se mêlaient l'odeur des pins et des herbes aromatiques l'enivrait. Peu à peu sa gaieté revint.

Arrivée au sommet de la falaise, elle se retourna.

— Quelle beauté, murmura-t-elle.

A ses pieds, la petite crique qu'elle venait de quitter, battue mollement par les flots, était redevenue déserte, sauvage, intacte. Son regard se perdit sur l'immensité bleue de la mer. Là-bas, un rocher noir ourlé d'écume blanche lui rappela son étrange rencontre.

— Qu'était-il venu faire là ? se demanda-t-elle. Et pourquoi est-il parti si vite ?

Elle eut un petit pincement au cœur. Le charme d'Aldo — puisque tel était son nom — était loin de l'avoir laissée insensible. Mais elle s'efforça de penser à autre chose.

— Quel beau décor ce serait pour mon film... se dit-elle.

Elle se réjouit à l'idée que dans quelques jours allait la rejoindre son amie Hélène avec laquelle elle devait réaliser un reportage pour la télévision. Hélène était une assistante efficace qui lui apportait une aide précieuse. Depuis longtemps, elles avaient toutes deux l'habitude de travailler ensemble... Bien que très différentes, elles s'entendaient à merveille, sans l'ombre d'une rivalité. Dans le travail, comme dans la vie, leur complicité demeurait la même. Indestructible.

Réalisatrice de courts métrages, Nelly avait récemment décroché un contrat avec la télévision française pour le tournage d'une série de reportages sur la Sicile. Elle adorait son métier qui l'amenait à voyager beaucoup, et, la plupart du temps, dans des pays enchanteurs.

Elle avait choisi la Sicile pour son passé et son pittoresque, mais aussi pour sa lumière et la sauvagerie de ses sites. Arrivée la première pour repérer les lieux, elle en profitait pour prendre quelques jours de vacances, ce dont elle avait bien besoin...

Elle se remémora avec déplaisir la pénible scène qui l'avait opposée à Chris, juste avant son départ. Non, décidément, elle ne supportait plus sa lancinante jalousie. Cette fois-ci, il avait dépassé les bornes, allant jusqu'à la gifler. Aussi avait-elle décidé de le quitter définitivement.

Elle marcha encore pendant une centaine de mètres sur le sentier caillouteux avant d'atteindre la route où l'attendait, à l'ombre d'un bouquet de chênes verts rabougris, la petite Fiat qu'elle avait louée à son arrivée à Palerme.

En pénétrant dans la voiture, la chaleur la suffoqua. La vue des jumelles abandonnées sur la banquette arrière lui rappela quelque chose.

— Tiens, se dit-elle, je vais regarder de plus près à quoi ressemble cette île...

De l'endroit où elle se trouvait, on ne voyait pas la mer qu'un rideau d'arbres dissimulait. Après avoir abaissé toutes les glaces, elle mit le contact. Le volant lui brûlait les mains. Elle roula quelques instants, puis stoppa. La route, à présent, surplombait la côte. Le miroitement de la mer, qui s'étalait à l'infini, lui fit mal aux yeux.

Elle descendit pour pouvoir observer plus confortablement ce qu'elle désirait. Tout de suite, elle repéra l'îlot. A l'aide des jumelles, elle distingua d'abord un groupe de pins parasols, puis le toit d'une maison aux trois quarts cachée par la végétation. Plus bas, au bord de l'eau, il semblait y avoir une minuscule plage...

Elle ne savait que penser : était-ce là la retraite du bel Aldo ? Si c'était le cas, il se trouvait bien à l'abri des indiscrets.

Elle prit dans la voiture la carte de la région. Elle fut un peu déçue de constater que l'île qui l'intriguait tant n'y figurait pas. Décidément sa curiosité était piquée au vif...

Soudain, elle eut conscience qu'elle mourait de soif.

— A trois kilomètres, il y a un village... Je l'ai vu sur la carte. C'est bien le diable si là...

Mais elle n'alla pas au bout de sa pensée. Après avoir démarré, Nelly mit en marche la radio. Aussitôt un flot de musique couvrit le bruit de crécelle des cigales.

Elle chantonna, accompagnant la mélodie langoureuse et aigrelette des mandolines. La dernière fois qu'elle était venue en Italie, c'était avec Chris. Ils avaient passé quelques jours à Rome, qu'ils avaient parcouru en tous sens, à pied, main dans la main, le cœur en fête. Elle avait bien cru, à cette époque, qu'il était et resterait le seul homme de sa vie... Mais il avait tellement changé depuis ! A moins que ce ne soit elle...

Nelly soupira. Le vent soulevait ses courtes mèches blondes. Écartant de ses pensées ces souvenirs chargés de nostalgie, elle fixa à nouveau son attention sur le paysage.

Elle dut ralentir pour laisser passer un troupeau de chèvres mené par un jeune garçon misérablement vêtu. Dans le rétroviseur, elle vit qu'il s'était retourné pour la regarder.

La musique s'était arrêtée, remplacée par une voix d'homme. Elle comprit, d'après le ton, qu'il s'agissait d'un bulletin d'information. Ses connaissances en italien étaient restreintes. Elle pouvait tout juste se débrouiller pour demander son chemin, ou commander un repas. Pour le reste... Son oreille capta cependant quelques mots qu'elle traduisit instinctivement : « Rome »... « attentat »... « Milan »... « enlèvement »...« rançon »...

— Mon Dieu, songea-t-elle, dans ce pays il se passe des événements terribles, et dire qu'ici c'est le paradis !

D'un geste, elle tourna le bouton. Déjà, elle arrivait en vue du village qu'elle avait repéré sur la carte. Colanzara...

Juché à flanc de colline, il paraissait dormir sous l'écrasante chaleur de midi. Quelques instants après, la voiture s'engagea dans la rue principale : des poules, effarouchées par le bruit, s'enfuirent en piaillant. D'une façade à l'autre, du linge bariolé pendait, comme autant de banderoles colorées.

Nelly se gara sur la petite place ombragée de platanes, tout près d'une fontaine dont le frais ruissellement lui fit ressentir sa soif encore davantage.

Elle avisa avec soulagement un modeste café devant lequel il y avait trois tables et des chaises.

Elle ne s'était pas plus tôt assise, qu'une grosse matrone surgit.

— *Buon giorno... Che desiderate* ?

Nelly fit le geste de verser à boire.

— Eau... *Acqua*... et manger, aussi...

La matrone sourit :

— *Ah* ! *Francese*...

Elle disparut pour revenir aussitôt avec un verre contenant du jus d'orange, et une carafe d'eau fraîche.

Nelly but avidement ce qui lui parut la plus délicieuse des boissons. Ouf ! Elle se sentait mieux.

La grosse femme revint et posa devant elle une

assiettée de charcuterie, du fromage, du pain, et un petit melon ouvert en deux.

Sans attendre un instant de plus, Nelly s'attaqua avec appétit à ce repas improvisé.

Tout en mangeant, elle n'avait pas remarqué que la petite place, tout à l'heure déserte, s'était peuplée peu à peu. Des hommes, des adolescents, avaient surgi sans bruit, et, en silence, ils la contemplaient. Nelly lut une sorte d'avidité dans leur regard. Soudain gênée, elle eut conscience du spectacle qu'offraient ses belles jambes nues. Elle les ramena sous sa chaise, et se redressa. Son mouvement fit s'envoler une nuée de mouches parties à l'assaut des restes de sa collation.

« Je ne peux pas rester ici », pensa-t-elle.

Le menton dans la main, elle réfléchit.

« Voyons, se dit-elle, il faut que je me préoccupe de savoir où je vais dormir cette nuit. Mais où trouver un hôtel convenable dans ce coin perdu ? Quant à coucher à la belle étoile... hum... »

Elle jeta un coup d'œil furtif sur les spectateurs silencieux qui l'observaient.

« Ici les hommes sont comme des loups »... L'avertissement du bel inconnu résonnait encore à ses oreilles...

Sans plus attendre, Nelly se leva, ramassa le sac qu'elle avait posé à ses pieds, et glissa la lanière de son appareil photo autour du cou. Elle pénétra à l'intérieur du café pour régler ce qu'elle devait. Surprise par la pénombre, elle ne distingua pas grand'chose. La grosse Sicilienne surgit aussitôt. Après avoir aligné quelques lires sur le comptoir, Nelly entreprit, avec force gestes, de lui faire comprendre qu'elle cherchait un endroit décent pour passer la nuit.

Aussitôt, la femme lui fit signe d'attendre. Campée sur le seuil, elle héla quelqu'un au dehors. Un jeune homme surgit, avec lequel elle eut un dialogue volubile.

Le regard de ce dernier allait de la matrone à Nelly, tout en opinant de la tête. Puis, il se décida à entrer et se dirigea vers elle, l'air un peu emprunté.

— Je parle un peu le français... Elle... il désignait la grosse femme du menton... Elle dit que vous ne savez pas où dormir. Si vous voulez, je peux vous conduire quelque part où vous serez bien... chez Gianni, le pêcheur.

Stupéfaite, Nelly le regardait, incrédule.

— Gianni, si... répéta la matrone, en souriant.

« Après tout, se dit Nelly, pourquoi pas ? Allons-y, je verrai bien... »

L'aventure l'amusait. Après avoir remercié la patronne du café, elle sortit, suivie du jeune homme. Tandis qu'ils se dirigeaient vers la voiture, elle sentit d'innombrables paires d'yeux fixées sur elle. Elle se laissa tomber sur le siège avec soulagement et se pencha pour ouvrir la portière à son compagnon. Lorsqu'elle mit la voiture en marche, elle dut se frayer un passage au milieu du groupe d'hommes qui s'étaient rassemblés et qui s'écartèrent lentement, comme à regret.

— Comment vous appelez-vous ? demanda-t-elle.

— Angelo...

Il lui indiqua brièvement la direction qu'elle devait prendre. Il paraissait extrêmement intimidé, et n'osait pas la regarder.

— Comment se fait-il que vous parliez français ? s'enquit Nelly gentiment.

— Je l'ai appris en France... ici, il n'y a pas de travail, alors... Il eut un geste évasif... Maintenant c'est les vacances, je suis revenu au pays.

A nouveau, la voiture longeait la côte. Sur la gauche, vignes et oliviers escaladaient la montagne. A droite, s'étalait l'immensité bleue de la mer.

Ils avaient roulé à peine deux kilomètres que déjà Angelo, pointant le doigt, dit :

— C'est là.

Nelly vit, en contrebas de la route, une petite maison toute blanche, seule face à la mer. Devant, un filet de pêche séchait au soleil. Elle arrêta la voiture.

— Attendez, lui dit Angelo. Il bondit hors du véhicule, et dégringola le petit sentier qui menait à l'habitation.

Cinq minutes s'écoulèrent. Puis il réapparut, suivi par une silhouette noire et menue.

— Voilà, dit-il, tout essoufflé. C'est entendu. Gianni fait la sieste, mais sa femme dit qu'elle peut vous loger tout le temps que vous voudrez. Dans la région, il n'y a pas beaucoup d'hôtels, alors les habitants hébergent les touristes ; ils ont l'habitude.

Nelly salua la femme en noir, qui lui sourit, et lui fit signe de la suivre. Alors qu'elle s'apprêtait à le faire, elle entendit Angelo murmurer :

— *Ciao* !

Elle se retourna. Mais il avait déjà tourné les talons.

— Angelo ! cria-t-elle... Merci ! Au revoir...

Elle ne s'attendait pas à ce départ brusqué. Elle se sentit confuse à l'idée qu'il s'en allait à pied, sous le soleil accablant, sa mission accomplie. Elle agita la main, mais il continua son chemin.

Empoignant son sac de voyage, elle se décida à rejoindre la femme qui l'attendait plus bas.

Ensemble, elles pénétrèrent dans la maisonnette. Après l'éclatante lumière du dehors, la pièce lui parut presque obscure. Son hôtesse ouvrit une porte, et s'effaça pour la laisser passer. Nelly vit qu'elle était dans une petite chambre à cause du lit qui se trouvait dans un coin. Le mobilier était sommaire, mais l'ensemble lui parut très propre et accueillant.

— Je vais me reposer un peu, dit-elle en rassemblant ses notions d'italien.

Elle avait su se faire comprendre, car la femme lui adressa un sourire et se retira en fermant doucement la porte.

Nelly posa alors son sac sur une chaise. « Ce n'est pas un Hilton, mais c'est bien suffisant pour passer la nuit », pensa-t-elle.

Elle s'approcha de l'étroite fenêtre qu'ombrageait un magnifique laurier-rose. Celle-ci donnait sur la mer. La première chose que vit Nelly, ce fut la petite île. Son cœur fit un bond dans sa poitrine.

CHAPITRE II

SURPRISE elle-même par sa réaction, Nelly haussa les épaules avec agacement. « Je deviens ridicule, songea-t-elle, une vraie midinette... Un homme m'aborde ce matin, me parle trois minutes, et voilà que j'en ai encore le cœur battant ! Si Hélène me voyait, elle se moquerait bien de moi... »

Elle s'étira. Son dos était douloureux. Tout d'un coup, elle se sentit lasse. « Une bonne sieste me fera du bien », se dit-elle.

Elle s'étendit sur le lit. Les yeux au plafond, elle observa un moment le ballet des mouches qui bourdonnaient autour d'elle. Elle se sentait trop énervée pour dormir. Des images défilaient dans sa tête, sans suite. Chris... Que devenait-il, à présent ? Pensait-il à elle ?...N'avait-elle pas tout gâché inconsidérément ? Au moment où elle avait quitté Paris, elle était pleine d'énergie et de projets : une nouvelle vie s'ouvrait devant elle. Elle allait rapporter de Sicile un film qui lui vaudrait sûrement des compliments... et qui serait, pourquoi pas, salué par la critique... Un trophée de plus à sa carrière de cinéaste déjà connue, sinon célèbre... N'avait-elle pas été contactée par une chaîne de télévision américaine ?

Ses yeux erraient autour d'elle. Était-ce la pauvreté

de la pièce où elle se trouvait, ou l'effet de la chaleur? Elle se sentit soudain envahie par une vague de découragement. Sa solitude lui apparut irrémédiable... elle avait presque envie de pleurer.

«Qu'est-ce que je fais ici, se demanda-t-elle, dans ce trou perdu, parmi des gens dont je parle à peine la langue... J'aurais mieux fait de rester à Palerme!» Palerme... jamais elle n'oublierait le choc qu'elle avait ressenti devant la beauté de son site enchâssé dans la montagne, la majesté de ses palais... et le pittoresque de ses ruelles bruyantes... la mer... la mer... Imperceptiblement, Nelly sombra dans le sommeil.

Elle dut dormir longtemps, car, lorsqu'elle s'éveilla, la chambre était plongée dans l'ombre. Elle entendait des voix dans la pièce à côté, de la vaisselle remuée. Elle se redressa, mit un peu d'ordre dans sa tenue, passa la main dans ses cheveux. Elle se sentait reposée, plus détendue.

Elle ouvrit la porte: la femme était baissée devant l'âtre, occupée à remuer quelque chose dans un chaudron. Un homme aux cheveux grisonnants, sans doute Gianni, était attablé devant une écuelle...

Quelques instants plus tard, elle était en train de partager leur repas frugal composé de pois chiches, de fromage et de pain. Gianni lui avait rempli son verre de vin. Rassemblant tout ce qu'elle savait d'italien, elle parvenait, tant bien que mal à soutenir un semblant de conversation. Ils avaient de bonnes têtes, et riaient avec indulgence de ses efforts.

Son repas terminé, Gianni s'essuya la bouche d'un revers de main, et se leva.

Elle avait compris qu'il allait partir à la pêche. Quand il sortit, elle s'apprêta à le suivre. Elle voulait profiter de la fraîcheur de la soirée.

Le spectacle qui s'offrait à elle l'éblouit. Les rayons du soleil couchant avaient transformé la mer en une immensité d'or liquide. Dans un réflexe, elle courut chercher son appareil photo. Après avoir pris quelques clichés, elle rejoignit Gianni qui traînait une vieille barque vers l'eau. Toute la nuit, il allait tenter de ramener du poisson dans son filet, et ne reviendrait qu'au petit jour...

Du sol surchauffé montait une odeur capiteuse, une brise légère venait de la mer. Il semblait que rien au monde ne pouvait troubler cette paix... Gianni avait des gestes lents pour plier soigneusement le filet qu'il irait, tout à l'heure, jeter là-bas.

Nelly contemplait l'horizon. L'île, à présent, était une masse noire au milieu de l'eau.

Elle demanda à Gianni s'il savait qui vivait là. Il hocha la tête. De sa réponse, elle crut comprendre que l'île appartenait à un noble Sicilien, le marquis de Balduzzi, mais qu'il n'y venait presque jamais.

— Alors personne n'y habite?

Gianni secoua négativement la tête. Personne...

Il avait fini ses préparatifs. D'une poussée, il mit la barque à l'eau, et prestement s'y installa.

— *Ciao, signorina...*

— *Ciao... Ciao...*

Nelly resta plantée de longues minutes sur le rivage à le regarder s'éloigner doucement. Les premières étoiles s'allumaient dans le ciel, mais elle ne pouvait se décider à rentrer.

Elle tournait et retournait dans sa tête le bref dialogue qu'elle venait d'avoir avec Gianni. Il y avait bel et bien quelqu'un dans l'île, ça, elle en était sûre, elle n'avait pas rêvé... Ce ne pouvait être le marquis de... elle ne savait plus quoi : Gianni avait dit qu'il était vieux.

Son fils, alors ? Oui, c'était sûrement cela. N'avait-elle pas remarqué que ce... cet Aldo portait une chevalière armoriée...

Pensive, Nelly revint vers la petite maison. Elle trouva la femme de Gianni en train de ravauder un vieux pantalon. Ne sachant trop quoi faire, elle s'assit devant la cheminée, où achevait de se consumer un maigre feu, parce qu'elle avait un peu froid. Elles restèrent ainsi un moment en silence.

Dehors, on entendait faiblement le clapotis des vagues, et le chant des grillons.

Nelly dit soudain :

— Le marquis de... de Balduzzi a-t-il un fils... *un figlio ?*

Étonnée, la femme releva la tête.

— *Un figlio ? No... no... ma perchè ?*

Nelly n'insista pas. Elle fit un geste évasif de la main.

La femme avait repris son travail, et le silence s'installa à nouveau. Nelly réfléchissait à ce curieux mystère. Comme elle ne pouvait pas lui trouver de réponse, elle décida que ce qu'elle avait de mieux à faire était d'aller se coucher.

Une fois au lit, elle essaya de lire un peu, mais elle y renonça vite, la pièce étant trop mal éclairée. Après avoir éteint, elle cala confortablement sa tête sur l'oreiller et ferma les yeux. « Demain, songea-t-elle juste avant de s'endormir, il faut que je m'en aille d'ici. Je n'ai pas de temps à perdre avant l'arrivée d'Hélène... » Elle songea à l'aimable accueil de cette famille de pêcheurs. « C'est vrai qu'ici les gens ont le sens de l'hospitalité » murmura-t-elle. Elle eut une bouffée de gratitude à leur égard... Ce fut sa dernière pensée lucide.

Il faisait grand jour lorsqu'elle se réveilla. Pieds nus,

elle se glissa sans bruit dans la pièce d'à côté. Personne... Comme elle ne voyait rien qui lui permette de faire commodément sa toilette, elle sortit.

Elle vit la barque de Gianni échouée sur la petite plage. « Il doit dormir, à présent », se dit-elle.

Au bord de l'eau, elle se rafraîchit le visage. Le ciel était clair, mais quelques nuages assombrissaient l'horizon. Malgré l'heure matinale, elle trouva que l'air était déjà étouffant. Prestement, elle ôta son T-shirt, et se retrouva en maillot. Son deux-pièces échancré mettait en valeur son corps mince et bien galbé que la pratique du sport avait parfaitement modelé. Avec délice, elle plongea dans l'eau tiède. Elle nagea un long moment, éprouvant un plaisir voluptueux à se laisser porter par les vagues.

Elle avait grand faim, aussi fut-elle ravie de constater qu'un bol de café brûlant et une miche de pain l'attendaient sur la table lorsqu'elle revint à la maisonnette. La femme de Gianni lui fit un petit signe amical tout en continuant à balayer le sol aux pavés disjoints. Nelly lui répondit par un « *Buon giorno !* » enjoué, puis mangea de bon appétit.

Après avoir remis de l'ordre dans la petite chambre, elle s'apprêta à prendre congé de son hôtesse. Spontanément, elle lui planta deux baisers sonores sur les joues, tout en lui glissant quelques billets dans la poche. Elle avait été généreuse, voulant marquer par là sa reconnaissance. D'étonnement, celle-ci laissa tomber son balai... Puis, joignant les mains, elle se lança dans un discours volubile auquel Nelly ne comprit pas grand-chose, sinon qu'elle demandait à Dieu de la bénir...

Nelly se retourna encore une fois pour lui faire un signe d'adieu lorsqu'elle atteignit la route.

Une fois assise dans la voiture, elle s'examina dans le rétroviseur.

— Mon Dieu, j'ai l'air d'une sauvageonne... murmura-t-elle.

Sous ses cheveux blonds que l'eau de mer avait emmêlés, ses étonnants yeux verts dépourvus de tout maquillage paraissaient plus grands encore. De minuscules taches de rousseur piquetaient son visage. Elle rit toute seule en songeant combien ces maudites taches lui avaient donné des complexes quand elle était adolescente. A présent, elle savait qu'elles faisaient aussi partie de son charme.

Elle était de bonne humeur. La journée, cette fois encore, s'annonçait belle... D'un coup d'accélérateur, la petite Fiat démarra en trombe.

Nelly n'avait pas vraiment prévu d'itinéraire, préférant se fier à son instinct. Ce qui était bien dans son caractère à la fois fantasque et aventureux, curieux de tout.

La route était cahoteuse, encombrée de charrettes lourdement chargées. En voulant dépasser l'une d'entre elles, Nelly faillit se trouver nez à nez avec un camion qui roulait bien trop vite. L'émotion la calma, et elle ralentit son allure. Un bruit bizarre attira soudain son attention.

— Oh! Zut! Je crois bien que j'ai crevé.

Elle stoppa aussitôt. Hélas, elle dut se rendre à l'évidence: un pneu à l'arrière était complètement à plat.

— Est-ce qu'au moins j'ai ce qu'il faut pour changer ma roue? se demanda-t-elle avec angoisse.

Elle découvrit dans le coffre ce qu'elle cherchait. Mais cela ne la réconforta pas pour autant: elle ne s'était jamais trouvée seule dans pareille situation.

«A la guerre comme à la guerre, se dit-elle, il fallait bien que ça arrive un jour.»

Sans enthousiasme, elle se mit à l'œuvre, pestant et

maugréant contre son sort. Elle avait chaud, et des mèches de cheveux collaient à son front.

Tandis qu'elle s'escrimait sur son cric, elle n'entendit pas une voiture qui s'arrêtait derrière elle. Une portière claqua. Se retournant, elle faillit lâcher sa manivelle de saisissement. Avant qu'elle ait pu articuler quoi que ce soit, Aldo se trouvait près d'elle. Il s'inclina courtoisement.

— Il y a des hasards curieux, et je m'en félicite... Vous avez des ennuis ?

— Comme vous voyez... répondit-elle, mortifiée de se trouver en piteux état.

— Bien entendu, vous n'avez jamais changé de roue. Une fille jolie comme vous êtes trouve toujours une bonne âme pour le faire.

L'ironie de sa voix exaspéra Nelly.

— Je peux très bien me débrouiller toute seule. Ce n'est pas si compliqué, répliqua-t-elle sèchement.

Il était tout près d'elle. Il lui sembla encore plus grand que la veille. Malgré son jean et sa chemise ouverte, il conservait cette allure aristocratique qui avait déjà frappé Nelly.

— Laissez-moi faire, dit-il doucement.

Elle lui tendit ses outils sans mot dire. Son cœur, une fois encore, battait la chamade.

Fascinée, elle le regarda se baisser, ajuster le cric. Ses gestes étaient rapides, précis. Intérieurement, elle rageait de se sentir sale, les mains pleines de cambouis.

Quelques instants plus tard, il avait terminé. Il se releva en souriant.

— Voilà...

— Je ne sais comment vous remercier, bredouilla-t-elle.

Il lui prit alors le menton, et, plongeant son regard dans le sien, il articula :

— Vous êtes vraiment très belle...

Nelly se sentit rougir jusqu'à la pointe des cheveux. Elle se dégagea.

— Avez-vous quelque chose d'urgent à faire ? Ne pourrions-nous boire un verre ensemble ? Je connais un endroit pas loin d'ici.

— Mais je... je ne suis pas présentable...

Il rit.

— Ne vous inquiétez pas de cela. D'ailleurs, là-bas, vous pourrez vous refaire une beauté.

Elle hésitait. Alors, il trancha, d'une voix soudain autoritaire :

— Allons, venez. Remontez dans votre voiture, et faites demi-tour... Je vous précéderai.

Sans plus attendre, il se dirigea vers la sienne. Nelly remarqua que c'était une luxueuse voiture de sport... et qu'elle était immatriculée à Rome.

Elle ne trouva rien à répondre. Des sentiments contradictoires l'agitaient. Elle pressentait en cet homme une force qui l'attirait et l'irritait à la fois. Elle avait la désagréable impression d'être un objet dont il disposait à sa guise.

Comme elle restait immobile, il pencha sa tête par la vitre baissée et, lui adressant un de ces sourires irrésistibles dont il avait le secret, il dit, avec douceur cette fois :

— Alors ?...

Il avait gagné.

Ils roulèrent en se suivant pendant quelques kilomètres sur la route que Nelly avait déjà empruntée. Elle reconnut l'endroit où elle avait stationné, la veille, pour aller se baigner dans la crique. Mais la voiture d'Aldo continuait son chemin. Un moment plus tard, il ralentit, et s'engagea sur une petite route qui descendait vers la mer.

Une multitude d'orangers embaumaient l'atmosphère d'un parfum sucré. Nelly aperçut non loin, au milieu d'un champ de blé, des colonnes doriques à moitié écroulées, vestiges de ce qui avait dû être la splendeur d'un temple grec. « Il faudra que je retrouve cet endroit pour mon film... », se dit-elle.

Ils arrivèrent enfin en vue d'un ravissant petit port. Nelly comprit qu'ils étaient parvenus au but de leur promenade.

Après s'être garé, Aldo vint galamment lui ouvrir sa portière.

— Bienvenue à Santa Maria del Mare... dit-il. L'endroit n'est pas encore trop envahi par les touristes, vous aimerez, je crois...

De fait, le coup d'œil était charmant. Enfouies sous une profusion de plantes grasses et de lauriers-roses, des maisons basses dégringolaient jusqu'à la mer. Dans le port, que dominait la montagne, des barques de pêcheurs aux couleurs vives se balançaient mollement, côtoyant quelques bateaux de plaisance.

Nelly, mue par un réflexe, s'arrêta pour prendre quelques photos.

— Si nous déjeunions ? lui proposa Aldo en désignant du doigt une Trattoria qui faisait face à la mer.

Nelly acquiesça. Ils s'installèrent à une terrasse ombragée d'une treille. Quelques tables étaient occupées par des estivants. L'atmosphère était calme et bon enfant.

Tandis qu'Aldo commandait des apéritifs après s'être enquis de ce qu'elle désirait, Nelly s'éclipsa quelques instants. Dans les lavabos, elle se changea à la hâte. Elle avait pris soin de se munir de son sac de voyage dont elle retira un pantalon et un chemisier de toile immaculés. Après s'être lavé les mains et le visage, elle se brossa les cheveux avec énergie, et passa sur ses lèvres un peu de brillant. Elle recula pour jauger son aspect... et sourit à son image. Allons, elle ne se trouvait pas trop mal... Au regard appuyé que lui lancèrent les hommes qui se trouvaient aux tables voisines, lorsqu'elle revint auprès d'Aldo, elle comprit qu'ils partageaient son avis.

Buvant à petites gorgées son Americano, Nelly en savourait la fraîche amertume. Elle était bien, divinement bien. Dans une sorte d'état second, elle répondait aux questions d'Aldo. Oui, elle était venue tourner un film... Non, elle n'était pas en vacances... Comme il paraissait intéressé, elle parla volontiers, racontant les menus incidents qu'elle avait rencontrés depuis son arrivée... Au bout d'un moment, elle finit par lui dire :

— Au fait, vous m'interrogez, et moi, je ne sais rien de vous...

— Oh ! moi... Une ombre passa dans son regard.

— Vous n'êtes pas d'ici, n'est-ce pas ?

— Non. Bien que mon métier d'homme d'affaires m'amène à voyager énormément, dans le monde entier, mon domicile est à Rome... Je ne suis en Sicile que pour quelque temps.

— En vacances, alors ?

— Euh... si vous voulez...

— Connaissez-vous le marquis de Balduzzi ? Nelly avait lâché cette phrase sans réfléchir. Elle ne se doutait pas de l'effet qu'elle aurait.

Aldo sursauta, comme piqué par une guêpe.

— Qui vous a parlé du marquis de Balduzzi ?

Comme elle se taisait, il se pencha vers elle, et lui saisissant le poignet, il insista :

— Qui ? Je veux savoir qui ?

— Mais lâchez-moi, cela n'a d'ailleurs aucune importance...

— Pour moi, si.

— Tout le monde sait ici que l'île où vous alliez hier, quand nous nous sommes rencontrés, lui appartient. Je ne vois pas pourquoi vous vous fâchez...

L'arrivée du serveur les interrompit. Il posa devant chacun d'eux une assiette remplie de *scampi,* puis déboucha une bouteille de vin et remplit leurs verres.

Pendant quelques instants, ils restèrent silencieux. Les premières bouchées de ce plat pourtant délicieux parurent insipides à Nelly. Le comportement bizarre de son compagnon la déconcertait.

Il dit tout à coup, sur un ton redevenu normal :

— Le marquis de Balduzzi est un ami de ma famille. Il m'a prêté sa maison pour quelque temps, voilà tout.

Elle le regarda étonnée :

— Alors, je ne vois vraiment pas pourquoi vous vous êtes énervé tout à l'heure.

— Vous avez raison. Excusez-moi...

Il était terriblement tendu. Repoussant son assiette, il alluma nerveusement une cigarette après lui en avoir offert une qu'elle refusa.

— Je... J'ai besoin de solitude, de tranquillité. Je pense qu'une île est un endroit idéal dans ce cas, n'est-ce pas... dit-il en souriant.

— C'est aussi un endroit idéal pour se cacher... Nelly avait prononcé ces mots instinctivement.

Il tressaillit violemment.

— Pourquoi dites-vous cela ?

Nelly sentit que quelque part elle avait touché juste. Mais elle n'osa pas poursuivre plus loin. Son compagnon si séduisant la déroutait.

Un plat de *spaghetti* avait succédé aux *scampi.* La conversation reprit, anodine. Ils échangèrent quelques propos innocents sur les charmes de la Sicile, le métier de Nelly, sur Paris, ville qu'Aldo semblait bien connaître et aimer particulièrement.

Ils évitaient soigneusement d'aborder à nouveau le sujet brûlant que semblait être cette île, et ce qu'y faisait Aldo. Nelly lui jetait des coups d'œil à la dérobée. Que se cachait-il derrière ce visage aristocratique au regard aigu ? Un aventurier de haut vol ? Un séducteur douteux ? Au fond, que savait-elle de lui ? Il avait l'art d'éluder avec adresse les questions un peu trop précises.

Après les glaces, il commanda deux *espressos*. Sur la terrasse, il ne restait plus qu'eux. Il devait être tard.

— Qu'allez-vous faire en attendant l'arrivée de votre amie ? questionna-t-il.

La question surprit Nelly. Elle n'y avait pas réfléchi.

— Je ne sais pas... Elle regarda autour d'elle. L'endroit est joli, il doit bien y avoir un hôtel...

— Certainement. Il y en a un à deux pas, en bordure de mer. Vous y seriez très bien.

Il leva les yeux vers le ciel.

— Il y a des nuages, il se pourrait bien qu'il y ait un orage...

Bien que le soleil brillât avec éclat, l'horizon s'assombrissait en effet.

Aldo se leva.

— Je dois vous quitter à présent. Mais voulez-vous que je vous conduise à cet hôtel ?

— Volontiers, dit Nelly.

Quelques instants plus tard, ils y parvenaient. Nelly retint une chambre pour le soir même. C'était un petit hôtel sans prétention, mais avenant. Juste devant, se trouvait une minuscule plage de sable blanc. Quelques estivants se doraient au soleil, ou lisaient à l'ombre de parasols multicolores.

A l'instant de se séparer, ils éprouvaient comme une gêne, ne sachant plus quoi dire.

— Eh bien... adieu, finit par dire Nelly. Je... je ne sais pas si nous nous reverrons...

— *Chi lo sa?* murmura-t-il.

Il lui sourit, puis brusquement, il se pencha vers elle, et elle sentit ses lèvres effleurer ses cheveux. Mais aussitôt il se redressa.

— Vous êtes belle, on a dû souvent vous le dire.

Nelly ne voyait plus rien. Elle sentit sa gorge se nouer. « Il va partir, se disait-elle, je ne le reverrai plus... »

— Passer la journée avec vous m'a été très agréable, vous êtes tout à fait charmante. Avec vous, un moment j'ai oublié... tout. Mais, hélas, tout a une fin. Nos chemins désormais se séparent. Ah! un conseil... évitez de vous poser trop de questions, ça ne sert à rien... à rien du tout.

Il lui tendit la main. Elle la serra en s'efforçant de sourire. A quoi rimait donc tout cela?

L'instant d'après, il avait disparu. Nelly s'essuya le front d'un geste machinal. Il était moite. « Que j'ai chaud », pensa-t-elle. Son esprit était vide. Elle fit quelques pas sans savoir où elle se dirigeait. Ses vêtements collaient à sa peau.

Elle s'assit sur le sable et, repliant ses jambes, elle posa son menton sur ses genoux. Les vagues courtes venaient mourir sur le rivage avec un léger bruissement. Ses yeux erraient au loin. L'île la narguait, là-bas, comme un point d'interrogation posé sur la mer.

CHAPITRE III

DES enfants s'amusaient à se poursuivre non loin d'elle. Elle les observa un moment, admirant la souplesse de leurs jeunes corps bronzés. La musique qui s'échappait d'un transistor lui rappela quelque chose. Elle fredonna deux ou trois mesures... Un souvenir surgit : « Cette rengaine... mais oui... on l'entend ici dès qu'on allume la radio... » Sa promenade de la veille lui revint en mémoire.

— Mon Dieu, pensa-t-elle, que d'événements depuis hier ! Se peut-il qu'une rencontre soit vraiment fortuite ? Une peut-être, mais deux ? Par deux fois Aldo s'est trouvé sur mon chemin... Nous avons longuement parlé, et pourtant il reste pour moi l'inconnu qu'il était à la première seconde...

Nelly fronça les sourcils. « Pourquoi tout ce mystère ? » songea-t-elle. « Il surgit dans ma vie, presque par effraction, et disparaît comme il est venu, sans rien livrer de lui... On dirait qu'il redoute quelque chose... »

Une bouffée de colère monta en elle :

— Je ne suis pas un objet qu'on prend et qu'on laisse, après tout ! Au diable, cet Aldo, et qu'il ne revienne pas me compliquer l'existence ! J'ai vraiment d'autres préoccupations en tête en ce moment !

Depuis la veille, elle n'avait pas beaucoup pensé à

son travail, en vérité. Elle en eut conscience, et cela lui déplut.

— Il faut absolument que je rapporte un documentaire exceptionnel, murmura-t-elle.

Bien qu'elle fût encore aux débuts d'une carrière prometteuse, Nelly nourrissait des projets ambitieux. Elle avait l'espoir de devenir un véritable globe-trotter, ce qui comblerait les rêves d'aventure qui la hantaient depuis son enfance...

L'ombre des nuages au loin se projetait sur la mer. La chaleur, chargée d'humidité, était suffocante. Il n'y avait pas le moindre souffle d'air pour rafraîchir cette moiteur oppressante. Le regard de Nelly tomba sur une rangée de canots et de pédalos échoués sur le sable, à quelques mètres d'elle.

— Une petite promenade en mer ne me ferait pas de mal, pensa-t-elle. Oui, c'est une bonne idée.

Elle rentra dans l'hôtel, et réclama la clé de sa chambre, après avoir demandé s'il était possible de louer une de ces embarcations.

— Certainement, lui répondit en souriant le portier.

Nelly pénétra dans la chambre, n'y prêtant qu'une attention distraite, désireuse avant tout de prendre une douche fraîche. Aussi, le premier geste qu'elle fit fut de se déshabiller.

Elle s'attarda sous le jet, heureuse de sentir son corps parcouru par les rigoles d'eau glacée... Elle se savonna avec énergie... Elle se sentait revivre, comme une plante assoiffée après une pluie trop longtemps attendue. Elle prit du shampooing et se lava les cheveux.

Soupirant d'aise, elle sortit enfin de la salle de bains, détendue, revigorée. Comme c'était bon de se sentir propre et fraîche malgré cette chaleur !

Tout en s'essuyant, elle s'approcha de la fenêtre protégée par une moustiquaire, et elle vit que celle-ci donnait sur un minuscule jardin planté d'eucalyptus.

Nelly se débarrassa de sa serviette, et mit son maillot de bain. Puis elle enfila à la hâte une tunique de cotonnade qui laissait découvertes ses jambes nues. Ainsi vêtue, sans même prendre la peine de sécher ses cheveux qu'elle ébouriffa avec ses doigts, elle sortit.

Elle s'approcha du garçon de plage qui somnolait dans un fauteuil de toile. Désignant du doigt un des canots, elle lui fit comprendre qu'elle désirait le louer.

Sans se presser, il se leva, empocha les billets que Nelly venait de lui glisser dans la main, et poussa négligemment du pied le frêle esquif. Au moment où elle y prenait place, il lui dit en italien :

— Faites attention, n'allez pas trop loin... le temps n'est pas bon...

En effet, les nuages qui s'amoncelaient avaient pris une vilaine couleur.

— *Si... Si...* avait-elle répondu en riant.

Elle avait l'intention de ne faire qu'une petite promenade juste pour se changer les idées.

L'embarcation glissait, légère, à la surface de l'eau. Nelly dépassa des baigneurs dont, seule, la tête émergeait. Certains la hélèrent au passage, en agitant la main. L'un d'eux, même, voulut la suivre, en piquant un crawl énergique. Peine perdue, le canot filait, le distançant rapidement. Nelly se retourna en riant, et leva sa pagaie. La tête du nageur, bientôt, ne fut plus qu'un point.

Un vent tiède s'était levé. Nelly savourait le plaisir de sentir sa caresse sur son visage, dans ses cheveux. Un frisson délicieux la parcourut : elle était seule. Seule sur la mer. Seule avec elle-même. « Qu'arriverait-il si je partais droit devant moi, comme ça ? Vers quels rivages inconnus finirais-je par aborder ? » Elle laissait ses pensées divaguer rêveusement. Une idée surgit, la mettant soudain mal à l'aise :

« Si je disparaissais maintenant, comme ça, tout d'un coup, qui se soucierait de moi ? Qui se mettrait à ma recherche ? » Le sentiment de sa solitude qui, l'instant d'avant, lui était apparue comme une liberté exaltante, l'étreignit brusquement.

Hormis sa chère Hélène, qui lui restait-il désormais pour la pleurer si un malheur lui arrivait ? Elle évoqua l'image de sa mère qu'elle adorait, à qui un accouchement difficile avait coûté la vie, quelques années auparavant. Sa mort brutale l'avait laissée désespérée. Quant à son père, il avait refait sa vie, et s'était fixé à l'étranger. Tous rapports avaient cessé entre eux.

Pour tenter d'oublier son chagrin, elle s'était jetée à corps perdu dans ses études. Après avoir brillamment réussi ses examens, elle avait décidé de parcourir le monde, caméra au poing. C'est comme ça qu'elle avait rencontré Chris, en allant l'interviewer, lors de l'exposition qu'il avait faite à New York.

Elle n'aimait pas beaucoup sa peinture, à laquelle, elle le lui avait avoué plus tard, elle ne comprenait rien... Mais elle avait été séduite par le charme bohème de cet Américain dégingandé qui avait su si bien la faire rire et lui faire oublier ses malheurs. Avec lui, elle avait été entraînée dans un tourbillon de sensations neuves, de découvertes de toutes sortes.

Comme cela lui paraissait loin, à présent ! Leur amour n'avait pas su résister aux caprices du temps. Les querelles avaient surgi entre eux, de plus en plus fréquentes. Chris tolérait mal, malgré les opinions libérales qu'il affichait en public, la liberté que son métier offrait à Nelly. Il lui reprochait ses absences, la questionnant sans cesse. Nelly réagissait d'autant plus mal à ses soupçons que ceux-ci étaient parfaitement injustifiés.

Bref, leur vie était devenue infernale. Dès lors, la rupture était inévitable.

Assaillie par ces souvenirs pénibles, Nelly soupira.

— Peut-être ne suis-je pas faite pour aimer vraiment... ou pour être aimée... Bah! songea-t-elle, j'ai d'autres projets en tête, pourquoi me démoraliser? Ce doit être à cause de ce temps orageux...

Elle leva les yeux vers le ciel. Il avait pris une couleur plombée qui ne lui plut guère. Se retournant, elle s'aperçut que le rivage était loin derrière elle. Des courants forts, qui la faisaient dériver malgré elle, dirigeaient le canot vers l'île. Nelly constata qu'elle s'en était considérablement rapprochée.

A présent, elle pouvait distinguer à l'œil nu une plage de sable blanc sur laquelle était échoué le chris-craft qu'Aldo avait utilisé la veille. On ne voyait plus la maison, cachée par une végétation luxuriante. Il n'y avait pas trace de vie sur l'îlot.

Mais Nelly avait l'esprit occupé ailleurs. Elle était inquiète, ayant le sentiment qu'elle avait commis une imprudence. Pagayant de toutes ses forces, elle tenta de faire demi-tour. Mais un vent fort, venant de la terre, qui s'était levé, l'empêchait d'avancer.

De grosses gouttes de pluie s'écrasèrent sur son visage. La mer, en quelques instants, était devenue houleuse. Quand son canot se trouvait au creux d'une vague, Nelly ne voyait même plus le rivage.

Bientôt, la pluie s'abattit en rafales. Nelly était trempée, mais elle n'en avait cure. Elle essayait désespérément de diriger l'embarcation. En vain : le courant et le vent étaient trop forts. Elle sentit la panique l'envahir.

Certes, elle se savait excellente nageuse, mais que peut-on lorsqu'on est pris dans une tempête?

Elle se repentait amèrement de son insouciance. Quelle folie de s'être éloignée du rivage, négligeant tous les avertissements ! Pourtant, elle n'ignorait pas que les tempêtes, en Méditerranée, peuvent être aussi soudaines que redoutables !

Des larmes roulaient sur ses joues, mêlées à la pluie. Elle avait mal dans les bras à force de ramer. L'averse tombait à présent si violemment qu'elle ne voyait même plus l'île qui lui avait semblé si proche.

Un éclair aveuglant, immédiatement suivi par un coup de tonnerre qui lui parut éclater juste au-dessus de sa tête, la fit sursauter. Elle claquait des dents, à la fois de peur et de froid.

— Mon Dieu... Mon Dieu... marmonnait-elle, faites que je m'en sorte, je vous en supplie...

A présent, le canot tournoyait sur lui-même, incapable qu'elle était de le diriger. Elle ferma les yeux, et aspira une grande goulée d'air.

— Il faut absolument que je me calme... Il le faut absolument. Seul le sang-froid permet de sortir des situations désespérées...

Le ciel était devenu presque noir, bien que la nuit fût encore loin. Les coups de tonnerre assourdissants se succédaient presque sans arrêt.

— C'est l'Apocalypse... et je sais que je vais mourir... C'est trop bête... mourir ainsi... sanglotait Nelly.

Elle ne savait plus ce qu'elle faisait, murmurant des paroles sans suite, en proie à la terreur.

Le canot dansait comme un bouchon, tantôt à la crête des vagues, tantôt dans des creux qui apparaissaient à Nelly comme autant de gouffres sans fond... Elle avait perdu la notion du temps. Il lui semblait que cet horrible cauchemar durait depuis des heures...

Elle regardait, les yeux agrandis par l'horreur, les lames déferler sur elle, les unes après les autres. A chaque fois, elle s'arrêtait de respirer, s'attendant à ce que le canot se retourne comme un fétu de paille... Les paquets d'eau qui la giflaient lui coupaient le souffle... Une seule pensée l'habitait :

— Je vais me noyer... je ne veux pas... je ne veux pas...

Soudain, elle crut voir une masse sombre à une distance qui lui parut assez proche.

— L'île! pensa-t-elle dans un éclair.

Instinctivement, elle hurla :

— Au secours! Au secours!

Mais ses efforts étaient dérisoires. Sa voix se perdait dans le fracas des vagues et des roulements de tonnerre.

— Au sec...

Elle n'eut pas le temps d'achever son cri : une lame souleva le canot à une hauteur vertigineuse, et le laissa retomber brutalement. Ce que Nelly redoutait depuis le début se produisit : il se retourna, projetant sa passagère dans la mer.

Nelly n'eut pas le temps de réaliser ce qui lui arrivait. Roulée, submergée, elle suffoquait, essayant désespérément de retrouver son souffle... Elle tenta de mater sa terreur, et de se laisser porter par les flots, sans se débattre, pour éviter de se fatiguer inutilement. Mais elle comprit vite qu'elle ne s'en sortirait jamais de cette manière. Alors, dans un sursaut désespéré, elle banda tous ses muscles et se mit à nager en direction de ce qu'elle pensait être l'île.

Mais le combat était par trop inégal. Contre tous les éléments déchaînés que pouvait-elle faire? Bien qu'excellente nageuse, Nelly était trop épuisée pour résister longtemps. Ses mouvements se firent plus désordonnés, puis plus lents. Elle n'était plus qu'à demi-consciente... Dans une dernière lueur de lucidité, elle crut voir une plage à quelques mètres. Mais c'était trop tard... Elle ferma les yeux et sombra dans l'inconscience.

. . . .

Quand elle revint à elle, la première sensation qu'elle perçut fut un bruit... Un bruit qui lui parvenait assourdi, comme à travers une épaisse couche de coton... Une sorte d'aboiement... Oui... c'était cela... des chiens aboyaient... Mais pourquoi faisaient-ils tant de bruit? Nelly esquissa un mouvement. Malgré ses efforts, elle ne parvenait pas à ouvrir les yeux. Il lui semblait que ses membres pesaient des tonnes... Mais qu'est-ce qui lui emprisonnait donc la tête? Ses pensées, d'abord incohérentes, commençaient à s'ordonner. Elle tressaillit soudain. Elle sentait des lèvres écrasées contre les siennes, et le poids d'un corps pesant sur elle... Elle sursauta violemment, cherchant à se dégager.

— Ah! Vous voilà ressuscitée! Je commençais à douter de pouvoir vous ranimer... On peut dire que vous revenez de loin! Si je n'étais pas intervenu à temps...

Nelly écarquillait les yeux, absolument abasourdie. Son sauveteur inespéré n'était autre qu'Aldo, que le destin, décidément tenace, venait de placer pour la troisième fois sur son chemin. Elle réalisa que, grâce au bouche-à-bouche, il venait tout simplement de la sauver d'une mort certaine.

Nelly était bien trop épuisée pour énoncer quoi que ce soit. Elle ferma à nouveau les yeux, mais, cette fois, un sourire de bonheur flottait sur ses lèvres...

CHAPITRE IV

Comme dans un rêve, elle entendit Aldo faire taire les chiens dont les aboiements redoublaient de violence. Il leur imposa silence d'un ton sans réplique. Puis, il adressa quelques phrases brèves, toujours en italien, à un interlocuteur dont Nelly n'avait pas eu le temps de remarquer la présence.

Elle ouvrit à nouveau les yeux. Aldo était agenouillé près d'elle, les cheveux ruisselants. Il l'observait, les sourcils froncés, un pli dur à la bouche. Non loin, elle vit un gros homme chauve, chaussé de bottes, qui retenait à grand-peine deux énormes molosses. Tirant de toutes leurs forces sur leur laisse, ils montraient les dents en grondant de façon menaçante.

Nelly regarda autour d'elle d'un air égaré. Son cauchemar n'était-il donc pas terminé ? Ces chiens allaient sûrement la dévorer...

Elle essaya de s'asseoir, mais la tête lui tournait. Elle se sentait glacée des pieds à la tête, et des frissons la parcouraient tout entière.

Aldo lui dit :

— Vous ne pouvez pas rester ainsi, à moitié nue, sous cette pluie. Êtes-vous en état de pouvoir marcher ? La villa n'est pas loin...

Malgré la prévenance de ses paroles, sa voix n'avait

rien d'amical. Elle le regarda et vit qu'il la fixait d'un regard froid. Elle bégaya faiblement :

— Je... je... ne sais pas si je vais y arriver...

— Attendez...

Aldo se pencha vers elle. La saisissant sous les bras, il la souleva sans effort.

— Comme ça, ça va ?

Nelly fit signe que oui. Elle était transie de froid et se mit à claquer des dents sans pouvoir s'en empêcher. Vêtue seulement de son maillot de bain et de sa tunique trempée, elle grelottait. Aldo lui jeta son propre imperméable sur les épaules.

— Vous allez être malade. Mais, enfin, quelle idée avez-vous eue de vous embarquer par ce temps ? Je vous avais prévenue qu'il y aurait un orage !

— L'orage n'avait pas commencé quand je suis partie...

— Hum... nous verrons cela plus tard. Pour le moment, il faut que vous vous réchauffiez.

En disant cela, il la serra plus étroitement contre lui. Nelly se sentait sans force entre ses bras. Ils marchèrent ainsi, l'un soutenant l'autre, pendant quelque temps. De dos, on aurait dit deux amoureux... Pourtant Nelly avait le sentiment d'une présence hostile à ses côtés. Derrière eux, l'homme au crâne rasé les suivait avec les chiens, dont l'agressivité ne paraissait pas se calmer.

Il faisait nuit noire, à présent. La tempête s'était un peu apaisée, mais la pluie continuait à tomber, par rafales. Nelly trébuchait, de temps à autre, sur le sentier rendu glissant, et devait se raccrocher à son compagnon qui la soutenait d'une main ferme. Ses pieds nus, que les aspérités du sol avaient écorchés, lui faisaient mal...

Aldo l'avait sauvée d'une mort certaine. Mais, malgré sa reconnaissance, elle éprouvait une appréhension vague... Elle lui demanda :

— Pourquoi ces chiens... ont-ils l'air si... si méchants ?

— C'est normal, ils sont dressés à l'attaque... Ils ne doivent laisser personne s'approcher, répondit brièvement Aldo.

— A l'attaque ? Mais que craignez-vous ?

Il fit comme s'il n'avait pas entendu.

Pendant un moment, Aldo resta silencieux, attentif seulement à guider leurs pas. Ils parvinrent enfin en vue de la villa, dont quelques fenêtres étaient brillamment éclairées. S'arrêtant sur le seuil, Aldo souleva deux fois le lourd marteau fixé à la porte. Celui-ci retomba avec un bruit qui résonna dans les profondeurs de la maison. Nelly se retourna : les chiens et leur gardien avaient disparu dans la nuit. Elle poussa un soupir de soulagement. Elle ne savait pas pourquoi, mais leur présence la terrifiait.

Bientôt des pas se firent entendre. Quelqu'un tira un verrou... et la porte s'ouvrit.

Nelly cligna des yeux, éblouie par la lumière. Un petit homme noiraud, vêtu d'une veste blanche, se tenait dans l'embrasure. Il s'inclina cérémonieusement devant eux.

— Tiens, Umberto, débarrasse cette dame, et apporte-lui quelque chose à boire, quelque chose de chaud...

Nelly avait compris le sens de ces paroles, bien qu'Aldo se soit adressé au serviteur en italien.

Celui-ci, sans mot dire, prit l'imperméable trempé que lui tendait Nelly, puis s'éloigna non sans lui avoir jeté un regard étonné.

Il faut dire que son apparence avait de quoi surprendre... Au fond de la vaste entrée, un grand miroir au cadre finement ciselé, lui renvoya son image... Elle eut du mal à se reconnaître dans cette silhouette misérable, vêtue seulement d'une légère tunique, tellement mouillée qu'elle ne laissait rien ignorer de ses formes... Ses cheveux pendaient lamentablement, s'égouttant sur ses épaules, par terre... Ah, oui ! elle avait vraiment l'air d'une noyée qu'elle avait failli être !

— Oh, mon Dieu ! s'exclama-t-elle, en portant sa main devant sa bouche.

Elle ne savait trop quelle contenance prendre, ayant conscience du ridicule de sa situation.

Aldo se dirigea vers le fond de la pièce, et appuya sur un bouton. Une sonnette aigrelette retentit.

— Je vais faire le nécessaire pour vous permettre de vous changer, dit-il simplement.

Une femme de chambre surgit bientôt en trottinant. Aldo échangea avec elle quelques phrases brèves. Puis il fit signe à Nelly de la suivre.

Elles gravirent en silence, l'une derrière l'autre, un monumental escalier de marbre. Nelly était impressionnée par tant de décorum. La demeure du marquis de Balduzzi était bien celle d'un aristocrate, et sûrement fort riche de surcroît. Aldo y paraissait très à l'aise, et dans ce cadre, il prenait des allures de grand seigneur.

La femme de chambre s'était arrêtée. Elle ouvrit une porte, et s'effaça pour laisser pénétrer Nelly.

Celle-ci regarda autour d'elle un peu intimidée. La pièce où elle se trouvait était une chambre, à en juger par le majestueux lit à baldaquin qui trônait au fond. Restée seule, Nelly put admirer à loisir le décor. Outre le lit, recouvert d'une courtepointe vieil or, une commode en marqueterie, un élégant secrétaire, et deux fauteuils composaient le mobilier. Une superbe tapisserie aux tons passés recouvrait l'un des murs. Tableaux et gravures occupaient l'espace restant. Les rideaux en lourd satin étaient tirés devant la fenêtre, créant dans la pièce une chaude intimité.

Nelly n'osait toucher à rien : tout lui semblait tellement fragile ! Elle constata avec contrariété que ses pas laissaient des traces humides sur le parquet luisant.

Elle avait froid, et se sentit tout à coup très lasse et découragée :

— Qu'est-ce que je fais ici ? Je sens bien que ma présence est inopportune... Tout ceci ne rime à rien... je voudrais être à mille lieues d'ici ! se murmura-t-elle.

Quelques coups discrets frappés à la porte arrêtèrent le cours morose de ses pensées.

— Entrez...

La femme de chambre apparut. Avec son chignon serré bas sur la nuque et son regard sombre, elle avait un air sévère qui acheva de décontenancer Nelly. Elle avait les bras chargés de vêtements qu'elle déposa avec précaution sur le lit. En murmurant quelques mots, elle fit comprendre à Nelly qu'ils lui étaient destinés. Puis elle se dirigea vers la salle de bains attenante, et Nelly entendit qu'elle faisait couler de l'eau dans la baignoire.

Celle-ci, interloquée, n'eut même pas le temps de remercier : elle s'était déjà retirée.

« Aldo pense décidément à tout », songea Nelly avec gratitude, que l'idée d'un bain chaud réconfortait. Elle réfléchit à tout ce qui venait de se passer. L'attitude d'Aldo la déconcertait. Il lui avait sauvé la vie, certes, mais en même temps il paraissait si tendu... comme s'il était fâché... Non, décidément, elle n'y comprenait rien.

S'approchant du lit où s'étalaient les vêtements, elle les examina avec curiosité.

— Ça alors ! s'exclama-t-elle...

Avec une coquetterie bien féminine, elle mit contre elle, avec ravissement, une robe fluide, en soie crème, qui provenait, à l'évidence, d'un bon faiseur. De plus en plus intriguée, elle jeta un coup d'œil sur les sous-vêtements raffinés qui l'accompagnaient. Quant aux élégantes sandales aux fines lanières qui étaient posées sur le sol, elles lui parurent de la dernière mode...

Nelly ne put s'empêcher de sourire.

— Tout cela est d'un romanesque! Si Hélène me voyait, elle n'en croirait pas ses yeux...

Elle évoqua un instant son amie, vêtue de son éternel blue-jean, qui affichait volontiers son mépris pour les fanfreluches. Nelly, d'ailleurs, lui reprochait souvent, sur le mode de la plaisanterie, son manque de coquetterie. Ce à quoi Hélène répondait généralement par un haussement d'épaules dédaigneux.

Tout en reposant la robe, une question germa dans l'esprit de Nelly.

— Mais à qui peut-elle appartenir? Y aurait-il une femme ici?

Cette pensée lui fut désagréable. Elle resta songeuse quelques instants. Puis, haussant les épaules, elle renonça à trouver une réponse à cette nouvelle énigme, et elle pénétra dans la salle de bains.

Elle eut tôt fait de se plonger avec délices dans l'eau chaude. Elle resta un long moment étendue, les yeux fermés, à savourer le délassement de tous ses membres. A présent que son corps était au repos, elle se sentait comme vidée de sa substance, l'esprit flottant. Jamais elle n'oublierait la terrifiante épreuve qu'elle venait de traverser. Sans le bouche-à-bouche salvateur pratiqué par Aldo, elle ne serait plus en vie. Le souvenir de cette intimité involontaire avec cet homme la fit frissonner d'un plaisir mêlé de gêne.

— Il n'a pas cherché à profiter de la situation... pensa-t-elle.

Mais au souvenir du regard glacé qu'il avait eu pour elle à ce moment-là, elle tressaillit.

— Quel homme étrange... murmura-t-elle. Il me

semblait bien que je ne lui étais pas indifférente, et pourtant, à présent, j'ai l'impression qu'il me considère comme une ennemie...

Peu à peu, une bienfaisante chaleur l'envahit. Elle était gagnée par une douce béatitude... Elle réalisa soudain qu'un long moment avait dû s'écouler, aussi se dépêcha-t-elle de sortir de l'eau.

Elle se regarda dans la glace. Le bain lui avait redonné des couleurs. Sans maquillage, avec ses cheveux courts, et sa silhouette juvénile, on ne lui aurait pas donné vingt ans. Elle sourit à son image... Elle avait hâte à présent de se vêtir.

Excitée comme un enfant à qui on offre des vêtements neufs, elle enfila la robe de soie. Elle fut enchantée de constater qu'elle était exactement à ses mesures. Elle courut s'admirer... Elle n'en revenait pas de se trouver métamorphosée en une aussi élégante personne !

Lorsqu'elle descendit, Aldo l'attendait dans le hall. Tout en la suivant du regard, il resta impassible. Nelly, instinctivement se sentit froissée de son apparente indifférence.

— J'allais commencer à m'inquiéter. Vous sentez-vous mieux à présent ?

— Oh ! Je suis en pleine forme !

— Alors, c'est parfait. Passons au salon, si vous voulez. Umberto a préparé quelque chose pour vous...

Nelly le suivit docilement. A l'instar des autres pièces, celle-ci était immense et très confortable. De magnifiques tapis recouvraient le dallage de marbre. Un plateau chargé de verres et de flacons était posé sur une table.

Tout en prenant place dans un canapé profond et moelleux, Nelly s'exclama :

— Votre ami, le marquis de Balduzzi, a une bien

belle demeure... Vous avez de la chance! Mais n'est-elle pas trop grande, pour y vivre seul?

Le visage d'Aldo, aussitôt, se rembrunit.

« J'ai dû faire une gaffe... » se dit Nelly, avec gêne.

— Je vous l'ai déjà dit, je crois : j'aime la solitude et la tranquillité...

Nelly se sentit visée. Son visage s'empourpra. Sans y prêter attention, Aldo lui tendit un verre rempli d'un liquide brûlant.

— Prenez ça. C'est du vin chaud. Il n'y a rien de tel pour vous remettre d'aplomb.

Nelly n'aimait pas ça, mais elle n'osa pas refuser de peur de le contrarier.

Il s'assit en face d'elle, alluma une cigarette, et la considéra un moment sans rien dire. Puis il énonça avec calme :

— Maintenant vous allez me dire ce que vous êtes venue faire ici...

Nelly sursauta, prise au dépourvu.

— Mais vous savez bien que c'est un accident!

— Un accident? Hum... permettez-moi d'en douter...

Furieuse, elle répliqua :

— Comment pouvez-vous en douter? J'ai failli mourir... Vous croyez donc que je l'aurais fait exprès? C'est une plaisanterie...

— Nullement. J'ai su depuis le début que votre curiosité était mauvaise conseillère. Il y a des hasards qui n'en sont pas.

Nelly posa brusquement son verre sur une table basse placée près d'elle, et se dressa d'un bond, ayant retrouvé d'un coup toute son énergie.

— Je ne peux pas admettre vos insinuations. Si vous ne me croyez pas, tant pis. Mais je ne veux pas rester une seconde de plus ici...

Il sourit avec ironie.

— Ah, oui ? Et comment repartirez-vous s'il vous plaît ?

L'exaspération de Nelly était à son comble.

— Eh bien, vous me ramènerez...

Il la fixa froidement.

— Allons, ne faites pas l'enfant... Vous avez vu le temps qu'il fait... Dans la nuit, c'est beaucoup trop risqué.

Il ajouta, devant sa mine offusquée :

— De toute manière, accident ou pas, je suis ravi de passer la soirée avec une jolie femme...

Mais son ton ironique démentait ses paroles. Nelly, d'ailleurs, ne fut pas dupe.

— Après les insultes, les compliments... la douche écossaise, quoi ! Mais pour qui vous prenez-vous ?

Sa voix se cassa soudain. Elle fondit brusquement en larmes. La fatigue, la tension, l'attitude exaspérante d'Aldo avaient eu raison de ses nerfs.

La voyant dans cet état, celui-ci se leva, et vint s'installer à côté d'elle... Lui prenant la main, il dit, avec douceur cette fois :

— Pardonnez-moi, je ne voulais pas vous insulter...

Une ombre de tristesse voila son regard.

— Il y a des choses que j'ai du mal à admettre. Mais je ne sais pas si vous pouvez comprendre...

Il lui caressa la main, presque distraitement, les yeux perdus dans le vague. Nelly la retira sans brusquerie. Elle s'essuya les yeux, et poussa un gros soupir... Elle se sentait tellement désemparée...

Quand elle se fut un peu calmée, elle essaya d'expliquer :

— Écoutez, il faut que les choses soient claires entre nous. Je n'ai pas pour habitude de me mêler de ce qui ne me regarde pas. Il faut que vous me croyiez... Ce n'est tout de même pas de ma faute si nos chemins se croisent sans arrêt depuis deux jours...

Elle mettait tant de conviction dans ses paroles, plongeant son regard dans celui d'Aldo, que celui-ci ne put que répondre :

— Sans doute... sans doute...

Il dit, après quelques secondes de silence :

— Vous m'en voulez n'est-ce pas ? Je ne voulais pas vous fâcher...

Nelly hésita. Elle secoua la tête. Non, elle n'était pas fâchée, mais elle en avait assez de cette conversation qui ne menait à rien. Cet homme était vraiment un être trop compliqué !

Elle but quelques gorgées de vin chaud. Ce n'était pas désagréable, après tout...

Aldo se leva et se servit un whisky. Les glaçons tintèrent dans le verre. Il s'approcha de la fenêtre et scruta la nuit.

— Je crois qu'il ne pleut plus... l'orage est terminé.

Il tournait le dos à Nelly. Elle examina sa silhouette élégante, et remarqua qu'il s'était changé lui aussi. Elle se demanda si c'était en son honneur... Il portait un léger complet d'alpaga de couleur claire à la coupe parfaite qui mettait en valeur sa sveltesse. Ses cheveux ondulés et un peu fous qu'il portait assez longs ajoutaient à son charme. Mais il y avait en lui quelque chose d'inflexible qui intimidait la jeune fille.

« Les femmes ne doivent pas résister souvent à ce genre d'homme... » songea-t-elle. Malgré elle, cette pensée l'irrita.

— Si nous sortions ? proposa-t-il. A présent il doit faire bon... Et cela vous changera les idées, ajouta-t-il en lui adressant un sourire.

— Pour que vos chiens me sautent encore dessus ? rétorqua-t-elle.

— Comme vous êtes agressive... mais non. Ne craignez rien... ils sont attachés. On ne les libère que pour la nuit.

Elle eut envie de lui demander pourquoi il éprouvait le besoin de s'entourer de gardiens aussi féroces, mais elle y renonça de peur de paraître une fois de plus trop curieuse.

A contre-cœur, elle le suivit. Dans le hall, il lui glissa un lainage sur les épaules. Elle fut touchée de cette attention.

Dehors, on entendait les vagues se fracasser contre les rochers. La mer ne s'était pas encore calmée, mais une fraîcheur délicieuse baignait la nuit.

Il lui prit le coude.

— Venez...

Ils marchèrent côte à côte pendant un moment en silence. Nelly humait le parfum mêlé de la terre mouillée, des orangers et des pins. Le ciel était à nouveau piqueté d'étoiles.

— Il fera beau demain... Ce n'était qu'un grain. Vous aurez un temps splendide pour votre reportage...

A vrai dire Nelly ne pensait plus à son film, tous ces événements le lui avaient fait oublier.

Elle répliqua :

— Pour le moment je suis en vacances...

— C'est vrai ! dit-il en riant. Et je suppose que vous en garderez le souvenir longtemps...

Ils étaient parvenus à un promontoire rocheux surplombant les flots noirs. Tout là-bas, brillaient les lumières de la côte.

Nelly pensa soudain à quelque chose.

— Le canot ! Il est perdu... le loueur va s'inquiéter de ne pas me voir revenir... et le patron de l'hôtel aussi...

— Aucune importance... Je téléphonerai pour les rassurer sur votre sort, et je règlerai le problème.

Nelly était contrariée de savoir ses bagages abandonnés, son matériel de cinéaste à la merci des voleurs. Comme s'il avait deviné ses pensées, il ajouta :

— Ne vous inquiétez pas, je vais faire le nécessaire pour que vos affaires ne risquent rien jusqu'à votre retour.

Nelly se sentit soulagée. Sa présence protectrice la rassurait, malgré tout.

— Oh, merci, dit-elle avec élan.

Elle se sentit soudain honteuse de ne pas lui avoir mieux témoigné sa gratitude de lui avoir sauvé la vie quelques heures auparavant.

— Je... je ne sais comment vous dire... Tout à l'heure... sans vous...

— Ne me remerciez pas, coupa-t-il. Ce que j'ai fait n'a rien d'extraordinaire.

— Mais comment vous êtes-vous trouvé là, juste à ce moment ?

— Les chiens se sont mis à aboyer tout d'un coup. Je me suis dit qu'il se passait quelque chose d'anormal. Alors je suis sorti... il m'a semblé entendre des appels au secours... Pour en avoir le cœur net, j'ai observé les alentours à la jumelle...

— Et c'est là que vous m'avez vue ?

— A vrai dire, je ne savais pas que c'était vous qui étiez dans ce canot. J'ai simplement vu que quelqu'un était en difficulté... J'ai couru vers la plage... Ce n'est que lorsque la mer vous a ramenée que j'ai compris de qui il s'agissait.

Prenant la tête de Nelly entre ses deux mains, il murmura en souriant :

— Toujours la même petite chèvre imprudente... mais là, elle aurait pu y laisser la vie...

Nelly frissonna. D'émotion ou de froid, elle n'aurait su le dire...

— Il ne fait pas chaud. Rentrons... Nous allons dîner.

D'un geste décidé, il l'entraîna, la tenant fermement par les épaules.

Nelly réalisa qu'elle mourait de faim. Un bon repas serait le bienvenu...

La villa dressa sa masse imposante au détour du chemin. Les pièces du rez-de-chaussée étaient éclairées, illuminant le jardin. A l'étage, les fenêtres étaient toutes obscures, sauf une. Nelly eut l'impression fugitive de voir une ombre s'y profiler. Aldo leva la tête, et tressaillit. Il pressa aussitôt le pas, comme pour la faire rentrer plus vite dans la maison. Étonnée, Nelly regarda à nouveau en direction de la fenêtre, mais elle ne vit plus rien que le vide d'un rectangle lumineux...

CHAPITRE V

SUR le seuil, Aldo se retourna et jeta un regard circulaire, comme pour s'assurer de quelque chose. Il avait l'air attentif, comme s'il tendait l'oreille... Pourtant, on n'entendait que le bruissement du vent dans les pins, et le bruit sourd que faisait la mer. Puis, comme la première fois, le même cérémonial se reproduisit : après avoir frappé deux coups, ils durent attendre qu'on leur ouvrît.

En riant, Nelly ne put s'empêcher de dire :

— Si je comprends bien, il faut montrer patte blanche pour pouvoir entrer ici. Pourquoi tant de précautions ?

— Hum... bougonna Aldo, il vaut toujours mieux être prudent...

— A ce point ? s'exclama-t-elle, mais dans une île aussi bien gardée, je ne vois pas ce qu'il pourrait y avoir à redouter... Des voleurs ?

Elle avait dit cela d'un ton moqueur, sans aucune arrière-pensée. Mais la réaction d'Aldo la surprit. Elle vit à son visage qu'il n'avait pas envie de plaisanter.

— Pourquoi pas ? Je ne suis pas ici chez moi, et j'ai la responsabilité de cette maison. Vous avez pu vous en rendre compte par vous-même : elle contient de fort belles choses qui pourraient être tentantes pour quelqu'un de mal intentionné.

Nelly se demanda dans son for intérieur quel plaisir on pouvait bien prendre à se retirer dans un endroit qui ressemblait si fort à une prison. Une prison dorée, certes, mais tout de même...

Aldo l'avait laissée seule dans le salon.

— Je reviens tout de suite, l'avait-il avertie, je vais téléphoner à votre hôtel. Ainsi vous pourrez être tout à fait rassurée.

Elle entendit en effet le tintement caractéristique qui se produit quand on décroche un combiné. La voix d'Aldo lui parvenait assourdie, de la pièce à côté, mais elle n'arriva pas à distinguer ce qu'il disait.

Ne sachant que faire en l'attendant, elle grignota quelques olives qui étaient disposées dans une soucoupe... Son regard erra autour de la pièce. Une carte étalée sur le bureau attira son attention. Elle s'approcha pour l'examiner de plus près. C'était une carte de la région comme celle qu'elle possédait elle-même, et qu'elle avait laissée dans sa voiture. Mais sur celle-ci des surcharges au crayon avaient été apportées. Des localités étaient soulignées, d'autres étaient entourées d'un cercle... Elle se demanda si ces traits avaient été tracés de la main d'Aldo, et dans quel but ? Sous la carte, le coin d'une feuille blanche dépassait. Nelly s'assura qu'Aldo parlait toujours, et d'un geste preste, elle tira la feuille, mue par une curiosité instinctive.

Son cœur fit un bond dans sa poitrine : sur le papier blanc, son nom figurait en lettres capitales : NELLY MARCHAND... Pourtant elle se souvenait bien n'avoir dit que son prénom à Aldo...

« Qu'est-ce que... » Elle n'alla pas au bout de sa pensée. La stupéfaction la clouait sur place ! D'autres renseignements, encore plus précis, suivaient : son âge

— 24 ans —, la date de son entrée en Italie, le nom de l'hôtel où elle avait passé sa première nuit à Palerme, l'itinéraire qu'elle avait suivi depuis son arrivée... Les lettres dansaient devant ses yeux.

Elle reposa le papier précipitamment. Et s'il revenait ? Mais non, à côté, la conversation se prolongeait. Elle sentit ses jambes flageoler, et dut s'asseoir, l'esprit en déroute. Elle chercha vainement dans sa mémoire si elle avait pu lui fournir des indices... mais non, elle ne se souvenait pas qu'il lui ait posé des questions de cet ordre. Il s'était simplement intéressé à son métier, au but de son voyage en Sicile...

A présent, elle le haïssait de toutes ses forces. Dans quel filet s'était-elle laissée prendre imprudemment ? Elle se maudit intérieurement d'avoir ainsi joué avec le feu.

Avec des gestes fébriles, elle déplaça les objets qui se trouvaient sur le bureau. Qu'allait-elle encore découvrir ? Elle essaya vainement d'ouvrir un tiroir : il était fermé à clé. En revanche, un deuxième céda sans difficulté. Ce qu'elle vit la pétrifia : un pistolet énorme, sûrement une arme de guerre, reposait au fond.

« Il ne manquait plus que ça ! Une arme à présent ! Mais où suis-je tombée ? » se dit-elle, prise de panique...

Entendant le déclic du téléphone qu'on raccroche, elle referma à la hâte le tiroir, et quitta sa place d'un bond. Déjà Aldo revenait. Debout, au centre de la pièce, elle lui tournait le dos. Elle avala péniblement sa salive, en cherchant désespérément à reprendre une contenance normale.

S'approchant d'elle, il lui mit la main sur l'épaule. Elle sursauta, comme piquée par une vipère.

— Je vous ai fait peur ? s'étonna-t-il d'une voix enjouée.

Elle ne répondit pas, incapable de prononcer un seul mot.

— Tout est arrangé, reprit-il. On m'a assuré que vos bagages étaient en lieu sûr. Vous n'avez rien à craindre.

Rien à craindre ? C'était risible. Mais Nelly n'avait pas, oh ! mais pas du tout envie de rire.

— Qu'avez-vous ? Vous ne dites rien ?

— Eh bien... Je... je vous remercie...

Umberto vint heureusement interrompre leur tête-à-tête en annonçant que le dîner était servi. Il avait une façon de fixer Nelly par en-dessous qui parut à celle-ci fort déplaisante. Visiblement, il n'appréciait pas la présence de cette étrangère...

La gorge serrée, elle fit un effort pour sourire. Il fallait absolument donner le change... que surtout Aldo ne s'aperçoive de rien. Elle aspira un grand coup pour se donner du courage. Elle devait être très pâle, car Aldo lui demanda avec inquiétude :

— Ça ne va pas ? Êtes-vous souffrante ?

— Moi ? Mais pas du tout... je vais très bien...

Elle dut faire un effort pour traverser les quelques mètres qui les séparaient de la salle à manger sans vaciller. Il lui semblait que le sol allait se dérober à chaque pas. L'agréable fumet qui venait de la cuisine l'écœura. Elle, que la faim tenaillait quelques minutes auparavant, avait la nausée à présent... Elle se demanda comment elle allait pouvoir absorber la moindre bouchée.

La salle à manger avait un air de fête à la lumière des bougies portées par deux lourds candélabres d'argent. Le couvert était dressé sur une magnifique nappe blanche damassée. En toute autre circonstance, Nelly aurait apprécié le luxe de la fine porcelaine, des cristaux et de l'argenterie qui brillaient de mille feux... Mais là, le romantisme de ce dîner aux chandelles, en tête-à-tête avec un homme aussi séduisant qu'Aldo, ne l'émouvait nullement.

Tandis qu'elle déployait sur ses genoux une serviette finement brodée, elle avait plutôt l'impression d'être une prisonnière face à son geôlier...

Tandis qu'Umberto s'affairait, lui présentant des plats dont elle ne parvenait même pas à sentir le goût, versant des vins dans les verres, auxquels elle ne touchait pas, la conversation languissait.

Voyant le peu d'empressement que Nelly mettait à savourer le repas, pourtant exquis, Aldo s'étonna :

— Les bains de mer n'ont pas l'air de vous mettre en appétit...

Mais Nelly n'eut pas l'air d'apprécier l'humour.

— Vous devez être très fatiguée après toutes ces émotions. Vous allez sûrement bien dormir...

En fait d'émotions, il ne croyait pas si bien dire. Nelly lui jeta un regard noir. Elle qui était partie pour se changer les idées, pour se détendre, s'enivrer de soleil et de mer... elle se trouvait aux prises avec un individu qui jouait avec elle un jeu dont elle ignorait les règles, mais qui lui paraissait redoutable.

Mais elle n'était pas fille à se laisser abattre. Subitement, la perspective de l'arrivée d'Hélène toute proche lui redonna du courage.

« Il faut absolument que je me sorte de là, et vite, quoi qu'il arrive », se dit-elle.

L'épreuve du dîner touchait à sa fin. Galamment, Aldo passa derrière elle pour l'aider à repousser sa chaise. Elle se leva avec brusquerie. Curieusement, plus elle était nerveuse et tendue, plus il paraissait décontracté.

Avant qu'elle ait pu prévenir son geste, il lui saisit la main qu'il porta à ses lèvres en murmurant :

— Vous êtes ravissante, et cette robe vous va à la perfection...

Nelly frémit à ce contact. Comment pouvait-il se conduire avec tant de duplicité ?

Avec une agressivité qui l'étonna elle-même, elle ne put s'empêcher de lui lancer d'une voix tremblante :

— Oh ! laissez-moi tranquille !

Il était visiblement désarçonné, ne s'attendant pas à une telle réaction de sa part. Il la dévisagea avec attention :

— Mais qu'avez-vous ? Vous n'allez tout de même pas pleurer ?

A ces mots, elle éclata en sanglots, elle n'en pouvait plus. Sans savoir ce qu'elle faisait, elle s'échappa en courant de la salle à manger. Elle faillit buter, dans le hall, contre la femme de chambre qui s'apprêtait à monter l'escalier. A travers ses larmes, Nelly put voir qu'elle portait un lourd plateau chargé d'un verre, d'une assiette, de plats fumants...

Déjà Aldo l'avait rejointe. Elle entendit qu'il parlait rudement à la femme. Celle-ci répondit quelques phrases sur un ton d'excuse, tout en continuant son chemin...

Refermant sur eux la porte du salon, Aldo s'approcha de Nelly d'un air contrarié.

— Mais, enfin, qu'avez-vous ? D'une minute à l'autre ou presque, vous changez d'humeur... Il me semble pourtant que j'ai fait tout ce qui était en mon pouvoir pour vous être agréable...

Nelly lui fit face, ravalant ses larmes, et articula :

— Je veux partir d'ici.

— On ne peut pas être plus aimable !

La réplique avait fusé, cinglante. Puis, ouvrant un coffret d'argent posé sur une table basse, il prit une cigarette et la mit entre ses lèvres. Posément, il l'alluma. Nelly suivait ses gestes d'un air morne. Sa bouche avait pris un pli boudeur. Elle renifla, mécontente de ne pas avoir de mouchoir à sa portée. Avec dépit, elle s'essuya les yeux d'un revers de main. Elle était furieuse de s'être ainsi laissée aller. Il lui fallait au contraire faire front et conserver toute sa lucidité...

Comme s'il avait saisi le fil de ses pensées, il énonça calmement, sans la regarder :

— Je me demande bien ce qui vous fait peur. Vous avez l'air d'une petite fille perdue...

C'était exactement le sentiment qu'elle éprouvait. Un peu comme si le sol s'était effondré sous ses pieds... elle ne savait plus où elle allait... Un instant, elle se demanda si elle n'allait pas carrément lui faire part de ses découvertes et lui demander des explications. Mais quelle serait alors sa réaction ? Était-il réellement dangereux ? Comment le savoir ? Cet homme était une énigme...

Elle résolut de se taire. Non, il ne fallait pas qu'il sache la vraie raison de son bouleversement. Elle répéta :

— Laissez-moi partir, je vous en prie...

Le visage d'Aldo se détendit en un sourire légèrement moqueur.

— Ai-je l'air d'un garde-chiourme ? Vous êtes parfaitement libre, vous savez... Puisque vous avez l'air d'apprécier si peu mon hospitalité, je me ferai un devoir de vous ramener à terre dès demain matin, si le temps le permet, je vous en donne ma parole... Êtes-vous rassurée ?

Le soulagement de Nelly fut si évident qu'il éclata de rire.

— Vous au moins vous ne cachez pas vos sentiments... je devrais me sentir vexé... Mais je tiens à vous rappeler tout de même que ce n'est pas moi qui vous ai attirée ici...

Nelly devint écarlate.

— Je sais, je dois vous paraître bizarre, mais, vous savez, je suis très indépendante... j'aime pouvoir décider moi-même de mes actes.

— J'en ai la preuve! Au point de commettre les pires imprudences...

Nelly haussa les épaules. La conversation prenait un tour plus léger. A présent qu'elle avait la certitude qu'Aldo ferait ce qu'il avait promis, elle se sentait libérée d'un grand poids. Quelque chose lui disait, en effet, qu'il n'était pas homme à trahir sa parole. Malgré toutes les ombres déplaisantes qui planaient sur son personnage, elle n'arrivait pas à le détester tout à fait.

Pour des raisons qui lui échappaient, il s'intéressait d'un peu trop près à elle, mais, elle devait le reconnaître, son attitude envers elle avait toujours été celle d'un homme parfaitement courtois, pétri de bonne éducation.

Tout en parlant, Aldo avait ouvert un placard d'où il avait extrait un flacon de cristal rempli d'une liqueur ambrée. Après en avoir versé dans deux verres, il lui en tendit un :

— Prenez, ça vous remontera le moral.

Nelly saisit le verre qu'elle huma avec méfiance... Un parfum fort et fruité lui chatouilla agréablement les narines. D'ordinaire, elle détestait l'alcool. Surtout depuis qu'elle avait vu l'effet qu'il avait sur Chris... Chaque fois que celui-ci se sentait déprimé, il buvait. Oh! pas au point d'être ivre. Non. Mais il devenait alors excessivement irritable... Néanmoins, elle absorba sans hésiter une grosse gorgée. Il lui sembla qu'une coulée de feu la traversait. Elle toussa, s'étrangla à moitié... Aldo vint à sa rescousse en lui tapant dans le dos.

— Voyez-moi ça! On joue les femmes fortes, et on ne supporte pas la moindre petite goutte de cognac.

Nelly reposa son verre, essayant de reprendre son souffle. Quand elle releva la tête, elle n'eut pas le temps de réaliser ce qui lui arrivait... Aldo l'avait saisie dans ses bras, la serrant étroitement contre lui. Quand Nelly sentit qu'il cherchait ses lèvres, elle se débattit violemment. « Non... non... Aldo, non... ». Aussitôt, il relâcha son étreinte, et attrapa son verre pour se donner une contenance. Revenue de sa surprise, Nelly recula d'un pas. Dans son trouble, elle faillit renverser une lampe qui se trouvait posée derrière elle.

Passant à plusieurs reprises la main sur son visage, comme pour chasser des pensées inopportunes, Aldo prononça d'une voix blanche :

— Pardonnez-moi, cela a été plus fort que moi... vous étiez si attendrissante avec votre gros chagrin d'enfant... mais je ne voudrais pas que vous puissiez penser...

— ... que vous abusez de la situation... compléta Nelly en souriant. Rassurez-vous, je ne vous en veux nullement. Mais ce n'est pas parce que les circonstances nous rapprochent involontairement que je vais tomber dans les bras d'un homme dont je n'ai fait la connaissance que depuis hier...

Une ombre de tristesse passa dans son regard quand elle ajouta :

— Du reste, en ce moment, je n'ai guère envie de me laisser séduire... J'ai tellement besoin de calme, au contraire !

Aldo la fixait intensément en écoutant ses paroles. Sans reprendre son souffle, il but d'un trait le contenu de son verre. Puis, à brûle-pourpoint il lui demanda :

— Comment se fait-il que vous soyez venue seule en Sicile ? Je veux dire... c'est étrange qu'une jeune fille, surtout si elle est belle, séjourne en solitaire...

Nelly comprit l'allusion à peine voilée de sa question.

— Au fond, vous voulez savoir s'il y a quelqu'un dans ma vie... un homme que j'aimerais vraiment ?

Un peu confus, il répliqua :

— Si vous ne voulez pas répondre...

— Oh ! Ce n'est pas un secret ! Vous m'auriez demandé cela il y a encore très peu de temps, je vous aurais répondu : oui...

— Ce qui veut dire ?

— Ce qui veut dire que j'ai aimé quelqu'un, oui, très profondément... Un peintre... Mais maintenant, c'est fini. Tout à fait.

Nelly réalisa qu'à cet instant précis, elle venait de tourner définitivement une page de sa vie. Elle ne reverrait plus jamais Chris.

La voix d'Aldo la tira de ses réflexions.

— Vous en êtes malheureuse ?

— Malheureuse ? Je ne sais pas... Je ne sais plus. Cela me paraît si loin... et pourtant notre rupture est toute récente.

Il y eut quelques secondes de silence. Nelly s'étonna de la facilité avec laquelle elle s'était laissée aller à de telles confidences. Quelque chose dans la personnalité d'Aldo la magnétisait. D'une certaine manière, elle ne parvenait pas à lui opposer de résistance.

Lui tournant le dos, elle s'absorba dans la contemplation d'un tableau qui représentait une scène de chasse. Feignant l'indifférence, elle lança d'un ton badin :

— Et vous ?

— Quoi moi ?

— Vous savez très bien ce que je veux dire...

Il ne répondit pas tout de suite. Après avoir allumé une cigarette, il se carra dans un fauteuil, croisa les jambes, et resta pensif un moment, les yeux mi-clos.

— Je suis un vieux loup solitaire...

— Vieux ? Elle rit. Quel âge avez-vous donc ?

— Trente ans...

Elle ne put s'empêcher de rire :

— Vous n'êtes tout de même pas un vieillard... ironisa-t-elle. Et solitaire? Comment ça? Vous n'êtes donc pas marié?

Elle jeta un coup d'œil furtif sur ses mains longues et nerveuses. Elle avait déjà noté qu'il ne portait pas d'alliance, juste une chevalière en or.

« Ça ne veut rien dire », pensa-t-elle, mais elle appréhendait sa réponse.

— Non. Je ne suis pas marié. J'ai toujours eu peur des chaînes... J'attache moi aussi beaucoup de prix à ma liberté. Il ajouta en souriant : ou peut-être est-ce simplement que je n'ai pas rencontré quelqu'un qui ait réussi à me faire changer d'avis.

Elle n'osa pas poursuivre plus loin un interrogatoire qui lui parut être vraiment trop indiscret. « Les femmes n'ont pas dû lui manquer, cependant... » pensa-t-elle. A cette pensée, son cœur se serra. Il lui apparaissait à la fois proche et terriblement inaccessible...

Une sorte de gêne s'était installée entre eux. Ils s'étaient dit à la fois trop et pas assez de choses.

— Il doit être tard, finit par dire Nelly.

Il regarda sa montre.

— Il est onze heures...

— Je crois que je vais aller me coucher.

— Comme vous voudrez... je vais rester ici encore quelque temps... j'ai quelques papiers à ranger.

Il la raccompagna au pied de l'escalier. En guise de bonsoir, il lui effleura la main de ses lèvres... Tandis que Nelly gravissait les marches, elle entendit la porte du salon se refermer doucement.

CHAPITRE VI

ETENDUE dans l'obscurité, Nelly ne parvenait pas à trouver le sommeil malgré sa fatigue. Tout, pourtant, aurait dû l'inciter au repos. Elle avait trouvé son lit préparé pour la nuit, sur lequel avait été déposée une longue chemise en crêpe de Chine vaporeux...

Une pensée la tarabustait : à qui appartenaient tous ces vêtements féminins ? A une personne qui ne pouvait être qu'élégante et raffinée, et jeune sûrement, à en juger par leur style... Se pouvait-il que quelqu'un d'autre vive dans cette demeure ? Aldo, à aucun moment, n'en avait soufflé mot... « Un mystère de plus... » songea-t-elle avec mauvaise humeur.

Brusquement un détail, qu'elle avait négligé sur le moment, lui revint à la mémoire : après le dîner, n'avait-elle pas bousculé la femme de chambre qui s'apprêtait à monter, avec un plateau chargé d'un repas ? Elle se dressa comme un ressort sur son lit, le cœur battant... Mais oui, elle en était certaine à présent :

— Quelqu'un est enfermé ici... souffla-t-elle tout bas, comme si on pouvait l'entendre.

Aussitôt formulée, cette pensée la jeta au bas de son lit. Nerveusement, elle se mit à arpenter la pièce de long en large, en proie à une agitation extrême.

Soudain, au loin, elle entendit les chiens aboyer. Le

souvenir de ces horribles bêtes lui donnait la chair de poule. Écartant les lourds rideaux, elle écarquilla les yeux, mais au-dehors, l'obscurité régnait. Un long moment, elle resta immobile à son poste d'observation, sans rien remarquer d'anormal. Les nuages qui couraient dans le ciel masquaient la lune de temps à autre. Les aboiements continuaient... A un moment, elle vit distinctement le pinceau lumineux d'une torche électrique qui se déplaçait en tremblotant. « C'est sûrement cet affreux bonhomme chauve qui fait sa ronde », pensa-t-elle en frissonnant.

Elle porta les mains à ses tempes qu'elle sentit battre à un rythme accéléré. Un meuble craqua : à ce bruit, elle sursauta comme si elle avait reçu une décharge électrique.

« Ce n'est pas possible... je deviens complètement folle ici... » se dit-elle.

Pour calmer ses nerfs, elle alla boire un verre d'eau dans la salle de bains. Elle rencontra son image dans la glace : pâle et défaite, elle se trouva méconnaissable. Elle se tamponna le visage avec de l'eau fraîche... cela lui fit du bien.

« Il doit être plus de minuit » songea-t-elle, « il faut que je dorme... les choses iront mieux quand il fera jour ».

La pensée qu'Aldo la ramènerait à terre, comme il l'avait promis, la réconforta. Elle se recoucha, bien décidée, cette fois, à s'endormir pour de bon.

Derrière ses paupières closes, des images sans suite se bousculaient... Dans une demi-inconscience, elle perçut, au loin, le bruit d'une porte qui se refermait. Avait-elle rêvé ? Elle rouvrit les yeux, à nouveau aux aguets.

Mue par un sentiment plus fort qu'elle, elle se dressa. Marchant sur la pointe des pieds, en évitant de faire craquer le plancher, elle se dirigea vers la porte. Après avoir fait tourner la poignée avec mille précautions, elle l'entrouvrit lentement. Sur le seuil, elle hésita. Si, par malheur, elle trébuchait dans le noir, n'allait-elle pas réveiller toute la maisonnée ? Que dirait-on, alors, en la découvrant errant dans la nuit ? Elle aurait l'air malin ! Son instinct l'emporta : il fallait qu'elle sache ! Quelque chose lui disait que cette nuit livrerait ses secrets...

A pas de loup, elle parcourut quelques mètres, sa main tâtonnant le long du mur pour se guider. Après quelques instants qui lui parurent des siècles, elle parvint à l'endroit où le couloir faisait un coude. Là, elle s'arrêta, le souffle en suspens : il lui sembla entendre un bruit étouffé. Elle dressa l'oreille, tous ses sens en éveil. Tout au fond, elle vit de la lumière filtrer sous une porte. Il n'y avait aucun doute : le bruit qu'elle avait perçu était celui d'une voix, ou plutôt, de deux voix.

La tentation était trop forte. Bien qu'elle sût qu'elle commettait une folle imprudence, elle ne put résister à l'attraction de ce rai de lumière. Elle s'approcha prudemment, prête à battre en retraite au moindre signe de danger. Bientôt, elle fut devant la porte. Comme attirée par un aimant, elle colla son oreille contre le panneau de bois. Oui, c'était bien la voix d'Aldo. Les quelques mots d'italien qu'elle entendit la firent frémir :

— *Sandra... carissima mia...*

En disant cela, il avait des accents d'une infinie tendresse. Une voix féminine lui fit écho, mais le sens des phrases échappa à Nelly...

De l'autre côté de la porte, il y avait donc une femme ! Le doute n'était plus possible ! Aldo parlait à mi-voix. Il y avait, dans ses propos, comme une supplication véhémente. La jeune femme — oui, elle ne pouvait être que jeune d'après sa voix — répondait d'un ton résigné...

Le cœur de Nelly battait la chamade. Qu'est-ce que cela signifiait? Jamais elle n'avait tant regretté de ne pas mieux comprendre cette langue! Fascinée, elle ne pouvait pas se détacher de cette porte avec laquelle elle faisait littéralement corps.

Elle entendit un remue-ménage, comme une courte lutte... une chaise, sans doute, qu'on bousculait... Un faible cri... Puis, Aldo:

— *Sandra... ti amo tanto...*

La suite importait peu à Nelly... Elle en avait entendu suffisamment pour être fixée sur la nature des liens qui unissaient Aldo à cette inconnue. Elle en tremblait... Ainsi, il y avait là, à deux pas d'elle, une femme qu'Aldo suppliait... Il était désormais impossible à Nelly d'ignorer que celui-ci avait bel et bien un amour dans sa vie, qu'il cachait soigneusement.

«Je suis un vieux loup solitaire...», se remémora Nelly avec amertume. Le menteur!

— Quel goujat! ne put-elle s'empêcher de murmurer tout bas.

En proie à une intense émotion, dont elle parvenait mal à démêler les raisons, elle recula. Dans son geste intempestif, elle bouscula malencontreusement un objet qu'elle n'avait pas vu dans le noir, un guéridon, qui tomba avec fracas.

Il y eut quelques instants d'un silence épais, pendant lesquels Nelly crut défaillir... Elle ferma les yeux, incapable de faire un mouvement, figée par la terreur. Elle entendit des pas rapides... Une clé tourna dans la serrure... La porte s'ouvrit toute grande. Aldo était là, à un mètre d'elle, dressant sa haute taille dans l'embrasure. Derrière lui, Nelly eut le temps d'entrevoir la silhouette d'une toute jeune fille aux longs cheveux bruns flottant sur ses épaules, les mains jointes devant sa bouche dans un geste d'effroi, les yeux agrandis par la stupéfaction...

Aldo marcha sur elle, menaçant :

— Vous ici ? Qu'étiez-vous encore en train d'espionner ?

— Mais... je... je... bégaya Nelly, dans l'incapacité d'articuler une phrase cohérente.

Tandis qu'elle reculait, cherchant désespérément à s'échapper, il la rattrapa. En trois pas, il fut sur elle. Dans son regard, elle vit danser une lueur inquiétante qui acheva de la terrifier. Il avait vraiment l'air terrible.

— Vous allez encore me dire que vous ne l'avez pas fait exprès !

— Non... non, mais...

— Mais quoi ? Étiez-vous en train d'écouter, oui ou non ?

Sa voix tremblait de colère. Le bel aristocrate plein d'égards pour elle s'était transformé soudain en un véritable fauve.

Saisissant le poignet de Nelly d'une main de fer, il l'entraîna, non sans avoir refermé la porte à double tour.

— Maintenant, nous allons nous expliquer...

Plus morte que vive, Nelly se laissa emmener sans résistance. Ils descendirent l'escalier. Aldo alluma la lumière dans le hall, et poussa Nelly dans le salon avec brutalité. Visiblement, il parvenait mal à se contrôler.

— Asseyez-vous !

Le ton était si péremptoire, que Nelly se laissa tomber plus qu'elle ne s'assit dans un fauteuil où elle se recroquevilla. Elle grelottait dans sa chemise de nuit légère. Avec dédain, il laissa tomber :

— Oh ! cessez de jouer les saintes-nitouches, cela ne m'émeut plus.

La phrase cingla Nelly, qui se redressa, toute rouge :

— Je n'aurais sans doute pas dû mais...

Renonçant à terminer, elle balbutia :

— Je vous demande pardon...

— Pardon ? Il s'agit vraiment de cela...

Nelly hasarda :

— Mais enfin... qui est cette femme que vous retenez prisonnière ?

Il gronda :

— Qui est en droit de mener un interrogatoire ? Vous ou moi ?

— Mais je...

— Taisez-vous. C'est moi qui pose les questions ! Pour le compte de qui travaillez-vous ?

Ébahie, Nelly ouvrit de grands yeux. Elle s'attendait à tout, mais vraiment pas à ça.

— Moi ? Elle pointa son index sur sa poitrine...

— Oui, vous. Ne faites pas l'innocente, je vous en prie. Je sais que les terroristes savent parfaitement donner le change.

Nelly n'en croyait pas ses oreilles. De stupéfaction, elle laissa échapper un gloussement sur lequel Aldo se méprit.

— Vous pouvez rire... mais maintenant que je vous tiens, je ne vous laisserai certainement pas vous en tirer comme ça !

A ces mots, Nelly devint livide. En un éclair, elle revit le gros pistolet qui reposait dans le tiroir. Il n'allait tout de même pas la supprimer... Affolée, elle dit :

— Je ne comprends rien à ce que vous me dites ! Qu'est-ce que c'est que cette histoire de terroristes ?

Il soupira comme quelqu'un qui est découragé à la perspective d'avoir à rabâcher toujours la même chose.

— Bon. Reprenons les choses par le commencement. Qu'êtes-vous venue faire en Sicile ?

— Mais je crois vous l'avoir déjà dit maintes et

maintes fois... Je travaille pour la télévision française et je suis venue pour tourner...

— ...un documentaire sur la Sicile... oui, oui, je sais tout cela, dit-il avec agacement. Ce n'est pas ce que je vous demande... ça, c'est votre «couverture», disons, officielle... ce que je veux savoir, c'est pour le compte de qui vous agissez... pour quelle organisation?

Nelly se demanda si elle n'avait pas affaire à un fou. Quelle histoire! Cela ne la rassura pas pour autant. Décidée à faire front, elle attaqua à son tour:

— Je renonce pour le moment à comprendre... J'ignore complètement de quoi vous me soupçonnez. Mais j'ai, moi aussi, quelque chose à vous demander. Comment se fait-il que vous soyez si bien renseigné sur mes faits et gestes depuis mon arrivée en Sicile?

Elle faisait allusion aux indications portées sur la feuille qu'elle avait découverte sur le bureau...

Le coup avait porté. Aldo cilla imperceptiblement.

— Ah! Parce que ça aussi vous le savez? J'ai donc raison... vous faites partie d'un réseau parfaitement organisé...

— Encore! Mais c'est une idée fixe!

N'importe... Elle avait marqué un but, elle avait réussi à le surprendre.

— Vous n'avez pas répondu à ma question...

Mais il avait repris son assurance. Sèchement, il laissa tomber:

— Figurez-vous que j'ai, moi aussi, mes informateurs...

Nelly comprit qu'elle n'en saurait pas davantage. Leur dialogue prenait une tournure grotesque. On aurait dit deux sourds qui se parlaient par énigmes. Mais devant l'attitude froide et déterminée d'Aldo, elle se sentit envahie par l'angoisse. Comment lui faire admettre qu'il faisait fausse route?

Elle se leva, décidée à quitter la pièce. Mais il lui barra le chemin.

— Où allez-vous ?

— Me recoucher. Tout ceci est absurde... Je ne vois pas ce que nous avons encore à nous dire, et j'ai sommeil...

Comme il faisait mine de vouloir la retenir, d'un geste de colère incontrôlée, elle prit un cendrier et le lança à travers la pièce. Il retomba en se brisant en mille morceaux. Calmée, elle contempla d'un œil vide les débris éparpillés par terre.

D'un ton persifleur qui acheva de la mettre hors d'elle, Aldo dit :

— Allons... allons... ne perdez pas votre sang-froid, vous finiriez par faire des bêtises.

Exaspérée, elle courut vers lui, lui martelant la poitrine à coups redoublés, cherchant à lui griffer le visage...

— Laissez-moi tranquille à la fin !

Il lui saisit les poignets, et l'immobilisa. Plongeant son regard dans celui de Nelly, il murmura entre ses dents :

— Se pourrait-il que je me sois trompé à ce point ?

Sans chercher à comprendre le sens de ses paroles, Nelly le dévisageait avec fureur. Elle hurla soudain :

— Je vous déteste ! Oh ! comme je vous déteste !

Sans doute effrayé par le bruit qu'elle faisait, il la saisit brutalement et lui mit une main sur la bouche.

— Taisez-vous ! Mais taisez-vous donc !

Nelly se débattait avec toute la rage du désespoir pour se dégager de son emprise. Elle sentait une grosse boule lui obstruer la gorge. Non, cette fois-ci elle n'allait pas pleurer devant cette brute ! Son orgueil le lui interdisait.

A sa surprise, il relâcha brusquement son étreinte de fer et secoua la tête.

— Vous me détestez... soit ! Nos sentiments importent peu dans cette affaire. Mais je n'aime guère rudoyer une femme...

Nelly eut un sourire ironique :

— Mais vous n'hésitez pas à les séquestrer...

— Ne dites pas n'importe quoi...

De la poitrine de Nelly s'exhala un gros soupir. Elle se sentait soudain envahie par une extrême lassitude. Abandonnant tout espoir de parvenir à mettre les choses au clair, elle n'avait plus qu'une idée en tête : se retrouver seule, et dormir... dormir... pour oublier tout ça.

Apparemment, lui aussi avait renoncé à tout désir de lutte. En hochant la tête, d'un ton découragé, il dit :

— Je crois que nous en avons assez dit pour le moment. Vous n'êtes pas en état de poursuivre cette intéressante conversation...

En ouvrant la porte, il l'avertit cependant :

— Je crois qu'il vaut mieux, dans votre intérêt, que vous renonciez à toute initiative que vous pourriez regretter...

Qu'est-ce que cela voulait dire ? Nelly était si fatiguée, qu'elle ne releva même pas la phrase.

Lentement, elle gravit les marches de l'escalier. Aldo la suivait en silence. Que craignait-il ? Qu'elle s'échappât ?

Elle aurait été bien incapable de le faire...

Il la reconduisit jusqu'à sa chambre. Sans un mot, il referma la porte. Cela n'étonna pas Nelly outre mesure d'entendre qu'il la verrouillait avec soin.

— Ainsi, je suis moi aussi prisonnière... murmura-t-elle avec fatalisme...

Elle courut se jeter sur son lit. Enfouissant son visage dans l'oreiller, elle reste inerte, incapable de mettre de l'ordre dans ses pensées. Elle était parvenue à un tel degré d'épuisement physique et moral, qu'elle avait le sentiment désormais que tout lui était égal...

Elle sombra, presque sans transition, dans un sommeil lourd, sans rêves.

Quand elle se réveilla, il faisait grand jour, comme en témoignait le rayon de soleil qui filtrait à travers les rideaux. Elle avait la bouche pâteuse, et ressentit de douloureux élancements dans son crâne quand elle voulut tenter de se lever.

Portant la main à son front, elle gémit :

— Aïe... quel affreux mal de tête...

Assise sur son lit, les jambes pendantes, elle resta un long moment immobile, essayant de reprendre ses esprits. Les pensées qui l'assaillaient n'avaient rien de gai. Elle se demanda quel sort allait lui réserver cette nouvelle journée.

En titubant, elle se dirigea vers la fenêtre pour tirer les rideaux. Elle repoussa les volets à jalousies qui claquèrent sur le mur. Le soleil était déjà haut dans un ciel dépourvu de tout nuage. Pour la première fois, elle pouvait voir au grand jour le paysage enchanteur qui se déployait devant elle. Seul le sol, raviné par la pluie, témoignait encore de la terrible tempête de la veille.

Elle contemplait sans plaisir le décor pourtant merveilleux qu'elle avait sous les yeux. Un jardin de rocaille, foisonnant de fleurs multicolores et de plantes grasses, dégringolait jusqu'à la mer, à présent paisible et d'un bleu intense.

Elle n'avait aucune idée de l'heure et ne désirait qu'une chose : apaiser les coups violents qu'elle ressentait entre les tempes. Elle se détourna avec lassitude de toute cette lumière qui lui faisait mal aux yeux, et alla dans la salle de bains. Elle eut beau fouiller partout, elle ne trouva aucune trace d'un médicament quelconque qui eût pu la soulager. En désespoir de cause, elle se bassina longuement le visage avec de l'eau fraîche.

Des coups secs frappés à sa porte la tirèrent de sa léthargie. Elle entendit la voix d'Aldo :

— Êtes-vous réveillée ?

Elle hésita avant de répondre d'une voix ferme :

— Oui.

— Je peux entrer ?

— Je ne vois pas comment je pourrais vous en empêcher...

La clé tourna dans la serrure, et Aldo passa la tête par l'entrebâillement de la porte.

— Avez-vous bien dormi ?

La question avait été posée d'un ton neutre. Cependant Nelly crut y déceler de l'ironie... Aussi elle répondit avec agacement :

— Je me demande ce que ça peut vous faire... en tout cas, j'ai très mal à la tête et...

Il l'interrompit :

— Reposez-vous. Je vous envoie la femme de chambre. Quand vous irez mieux, vous pourrez descendre. Je vous attends en bas...

L'instant d'après, il était reparti. Nelly nota qu'il avait négligé, cette fois, de l'enfermer.

Peu lui importait, du reste. Elle se sentait bel et bien prisonnière, et se demanda une fois de plus comment elle pourrait s'y prendre pour sortir de sa fâcheuse position. D'ailleurs, elle n'était pas seule. Elle savait désormais qu'une autre recluse vivait enfermée, à quelques mètres d'elle. Qui était donc cette étrangère ? Une victime, elle aussi, des bizarreries d'un Barbe-Bleue d'un nouveau genre ? Elle revit la fine silhouette de la jeune fille qui lui était apparue la nuit dernière. Elle semblait terrorisée... Nelly se demanda quelle sorte de crainte l'habitait... Se pouvait-il qu'Aldo, sous des dehors d'homme du monde, soit véritablement un tortionnaire ? Elle ne pouvait, malgré tout, se résoudre à le croire. Mais alors, qu'est-ce qui le poussait à s'entourer de tant de précautions ? Quels dangers avait-il à redouter ? Pourquoi la traitait-il en ennemie, à présent, après avoir eu tant de prévenances ? Sa perplexité allait grandissant... Le mystère ne faisait que s'épaissir.

A nouveau, on frappa à la porte...

C'était la femme de chambre. Sans dire un mot, d'un air revêche, celle-ci déposa sur la table un plateau bien garni. Après son départ, Nelly s'empressa d'inspecter celui-ci. A son grand soulagement, elle vit un tube d'aspirine dont elle s'empressa d'absorber deux comprimés... Elle se versa une grande tasse d'un café bouillant, dont le parfum odorant lui fit plaisir. Elle n'avait pas faim, aussi laissa-t-elle, sans y toucher, le pain grillé pourtant appétissant qui était disposé sur une assiette.

Au bout d'un moment, elle se sentit mieux. Ses angoisses de la nuit s'étaient envolées... Elle examina sa situation avec plus de lucidité. Une pensée, surtout, contribuait à lui remonter le moral : c'était le lendemain que devait arriver Hélène à Palerme... Comment s'y prendraient-elles toutes deux pour se retrouver si Nelly était retenue ici malgré elle ? Ça, c'était une autre affaire. Mais Nelly ne se sentait plus aussi désespérément isolée.

C'est presque de bonne humeur qu'elle entreprit de faire sa toilette. Elle tenait absolument à se sentir en forme pour affronter une nouvelle fois Aldo.

N'ayant pas d'autres vêtements sous la main, elle fut bien obligée de mettre la même robe que la veille. Elle se trouva un peu ridicule dans cette tenue trop élégante à cette heure de la journée...

« Bah ! », songea-t-elle, en se brossant les cheveux avec énergie, « quelle importance ? »

Quand elle fut prête, elle constata avec satisfaction que son mal de tête s'était envolé. Après avoir jeté un dernier regard dans la glace, elle s'apprêta à descendre, ayant retrouvé tout son optimisme. Pour un peu, cette aventure finissait par l'amuser... En aurait-elle des choses à raconter... si, du moins, elle s'en sortait sans trop de mal...

Elle fut surprise de constater que le hall était vide. Avec un vague espoir, elle essaya d'ouvrir la lourde porte d'entrée. En vain : elle était fermée à double tour. « Cela m'aurait étonnée ! » pensa-t-elle avec dépit.

— Auriez-vous envie de faire une promenade ? Le timbre grave de la voix d'Aldo, dans son dos, la fit sursauter.

Vêtu d'un jean délavé, et d'une chemise rose ouverte sur sa poitrine bronzée, il arborait un sourire apparemment plein de gentillesse.

Décontenancée, elle ne répondit pas. Il reprit :

— Avec ce temps, nous pourrions aller nous baigner... Qu'en dites-vous ? Aimez-vous la pêche sous-marine ?

Les revirements subits d'Aldo, décidément, la déroutaient. Qui eût cru que quelques heures à peine, auparavant, il s'était montré un inquisiteur implacable ?

Ce matin, il ressemblait à n'importe quel touriste s'apprêtant à passer une belle journée de vacances...

« Après tout, pourquoi pas ? » se dit Nelly. « Je préfère, de toutes façons, mille fois me trouver dehors... »

— Entendu, dit-elle. Je monte chercher mon maillot de bain.

Quelques instants plus tard, ils descendaient côte à côte le chemin accidenté qui menait à la plage...

CHAPITRE VII

ALDO portait, jeté négligemment par-dessus son épaule, un gros sac de toile. Dans sa main gauche, il tenait un masque, des palmes, et un harpon... Nelly, qui le regardait à la dérobée, ne put s'empêcher d'admirer la souplesse de ce grand corps mince qui se déplaçait avec aisance au milieu des aspérités du chemin rocailleux.

A présent, à cause de l'étroitesse du sentier, ils marchaient l'un derrière l'autre. Nelly, soudain, se nasarda à lui demander :

— Me ramènerez-vous à terre, aujourd'hui ?

Sans se retourner, il répliqua :

— Pour le moment, j'ai changé d'avis.

A dire vrai, cela n'étonna pas Nelly outre mesure. Pourtant, elle s'obstina :

— Vous m'aviez promis...

— J'aurais tenu ma promesse si vous vous étiez tenue tranquille. Vous ne devez vous en prendre qu'à vous.

Nelly le rattrapa. Lui mettant la main sur l'épaule, elle l'obligea à s'arrêter.

— Ce qui veut dire ?

— Ce qui veut dire que, jusqu'à nouvel ordre, vous restez mon hôte.

Immobiles, ils se faisaient face, se mesurant du regard.

— Dites plutôt que je reste votre prisonnière...

Il sourit de toutes ses dents blanches qui illuminaient son visage tanné par le soleil.

— N'employez pas de grands mots... Allons, venez.

Sans attendre, il reprit sa marche, sautant prestement d'un rocher à l'autre. Après un instant d'hésitation, Nelly le suivit à contre-cœur. Que pouvait-elle faire d'autre, après tout ?

Elle respira profondément. Un air léger, plein de senteurs marines, lui emplit les poumons. Pour le moment elle renonçait à lutter. Elle avait envie de se laisser aller à l'allégresse que lui procuraient cette matinée baignée de soleil et cette nature sauvage et belle qui l'environnait. En contre-bas, le bleu profond de l'eau lui apparaissait comme une invite à l'insouciance. Une douce brise agitait les feuilles des eucalyptus qui s'accrochaient au roc. Ils arrivèrent enfin à la petite plage, qu'ombrageait un bouquet de pins-parasols.

Aldo se débarrassa de tout son attirail. Posant le sac de toile, il en extirpa une bouteille qu'il brandit gaiement.

— Voilà de quoi nous rafraîchir...

Et il alla l'immerger dans un trou d'eau, bien à l'ombre. Puis, aussitôt, il entreprit de se dévêtir. Nelly remarqua avec amusement qu'il prenait soin de plier sa chemise et son pantalon bien proprement avant de les déposer sur le sol. Quand il apparut, dans un maillot de bain noir, elle ne put s'empêcher d'admirer son grand corps athlétique et mince. Même dévêtu, il conservait cet aspect d'animal racé qui le rendait si séduisant.

Voyant qu'elle restait là, plantée sans bouger, il lui demanda :

— Vous n'allez tout de même pas garder votre robe ?

Elle regarda autour d'elle un peu gênée.

— Oh ! Ne vous inquiétez pas... mettez-vous à votre aise... Je vais m'éloigner...

Et il partit en courant vers la mer où il plongea dans une gerbe d'écume.

Nelly s'abrita sous les pins. En quelques instants, elle avait prestement ôté sa robe, et enfilé son deux-pièces blanc. A son tour, elle se dirigea vers l'eau qu'elle tâta d'un orteil prudent... Elle était délicieusement tiède.

La tête d'Aldo émergeait un peu plus loin. Il lui fit un grand signe avec la main.

— Qu'attendez-vous ? Venez...

Nelly glissa dans l'eau avec volupté. Pendant un moment, elle se laissa flotter paresseusement, tout au plaisir de sentir cette fraîcheur l'envelopper toute entière. Jambes et bras inertes, la tête tournée vers le ciel, ainsi bercée par les flots, les yeux clos, elle ne pensait plus à rien.

Un bruit d'eau brassée la tira de sa rêverie. Aldo nageait vigoureusement dans sa direction. Quand il arriva près d'elle, haletant, il dit :

— N'est-ce pas merveilleux... on a l'impression... d'être... comme au commencement du monde...

Nelly lui sourit. Elle ressentait elle aussi avec acuité cette sensation de vivre des instants privilégiés, comme hors du temps. Elle aspira une grande goulée d'air, puis elle disparut sous l'eau... Quelques mètres plus loin, elle réapparut, radieuse.

— L'eau est si transparente ! C'est magnifique !

Aldo la rejoignit. Ensemble, ils nagèrent côte à côte, un bon moment, en faisant des pauses de temps à autre. Quand ils ressentirent la fatigue, ils revinrent vers le rivage, progressant avec des mouvements amples, efficaces.

Lorsqu'ils reprirent pied sur la plage, le sable brûlant leur parut presque intolérable. Aldo alla chercher deux draps de bain qu'il étendit l'un près de l'autre. A plat ventre, sans dire un mot, ils laissaient leur respiration reprendre un cours normal.

Nelly, la première, rompit le silence que peuplaient seulement le chant des cigales et le bruissement des vagues :

— C'est vraiment un endroit béni des dieux...

Aldo se retourna sur le flanc. Attrapant son paquet de cigarettes, qui gisait près de lui, il en prit une. Rêveusement, il répondit, comme pour lui-même :

— Vous ne croyez pas si bien dire... Il y a des siècles, les Grecs le savaient déjà, eux qui édifiaient ici des temples en leur honneur...

— Auriez-vous aimé vivre à cette époque ?

Il réfléchit :

— D'une certaine manière... peut-être. Les Grecs avaient un art de vivre qui nous fait cruellement défaut de nos jours...

— Comment cela ?

— Leur civilisation avait atteint un degré de raffinement auprès duquel la nôtre, sous certains aspects, n'est que barbare...

— Vous le regrettez ?

— Je n'aime pas sa violence...

Il aspira une dernière bouffée de sa cigarette, puis il l'écrasa nerveusement dans le sable.

A ce moment précis, Nelly n'était pas en humeur de philosopher. Elle éprouvait un sentiment de bonheur et de légèreté, et la présence d'Aldo, elle le sentait bien, n'y était pas étrangère... ni la beauté du cadre qui l'entourait. Son premier contact avec la Sicile, décidément, ne la décevait pas, bien au contraire.

Elle resta muette, fermant les yeux, évoquant des images colorées, violemment contrastées... ici, un petit port de pêche... là, un temple dont les colonnades se dressaient dans les herbes mollement agitées par le vent...« Quel admirable pays... à la fois aimable et si sauvage... », songeait-elle.

Son bien-être était tel, qu'elle avait oublié toutes ses mésaventures. Déjà, enfant, le soleil et le ciel bleu savaient exorciser ses chagrins, comme si la beauté de la nature devait la protéger contre toutes sortes de dangers...

Elle laissait errer ses pensées sans but, le corps offert aux rayons du soleil, absolument immobile. L'image de Chris s'interposa : la première fois qu'il lui avait déclaré son amour, c'était précisément sur une plage, mais qui ne ressemblait en rien à celle-ci. C'était une de ces longues étendues de sable venteuses du Cap Cod, dans le Massachusetts, où il l'avait emmenée en week-end. Un après-midi frileux de la fin septembre, quand les érables ont cette merveilleuse parure d'or et de pourpre qu'on ne voit qu'en Amérique... Il faisait trop froid pour se baigner. Aussi, ils avaient marché pendant des heures, arpentant le rivage où les vagues venaient déferler avec bruit. Il lui tenait des discours qui la fascinaient avec cette verve étonnante qui savait si bien la séduire. Étrange garçon que ce Chris... pour lequel même l'amour devenait une chose extrêmement compliquée... Au fond, elle n'avait de goût que pour les choses simples.

Elle remua soudain, ayant conscience du regard d'Aldo posé sur elle. Elle entrouvrit les yeux... Derrière ses cils, elle le vit qui, appuyé sur un bras, la contemplait. Ce qu'elle lut dans ses yeux lui fit reprendre toute sa lucidité.

Se redressant, elle lui adressa un sourire, et, pour dissiper sa gêne, elle dit la première chose qui lui vint à l'esprit :

— Il fait si chaud... je vais attraper un coup de soleil !

Elle eut l'impression que la banalité de sa phrase avait rompu un charme. Il se contenta de répondre :

— Nous pourrions, en effet, nous mettre à l'ombre...

Mais elle n'avait pas vraiment envie de bouger. Refermant les yeux, elle passa sa main sur son corps. Il était brûlant. Elle sentit que du sable était collé, par plaques, sur ses cuisses, ses bras...

Aldo se mit debout et lui tendit la main pour l'aider à se relever. La tête lui tournait un peu. Elle réalisa qu'elle avait peut-être eu tort de ne pas faire plus attention à l'ardeur de ce soleil presque africain.

Comme s'il avait pu lire dans ses pensées, il lui dit :

— Savez-vous que nous sommes ici à la latitude de Tunis ?

Elle haussa les sourcils :

— Vraiment ? Je n'avais pas réalisé...

— Il y a beaucoup de choses que vous ne semblez pas réaliser, petite fille...

Son ton, un rien condescendant, la vexa.

— J'ai vraiment l'impression, parfois, que vous me traitez comme une enfant un peu irresponsable...

Il hésita une seconde avant de répondre :

— Mais non... seulement j'ai du mal à comprendre qui vous êtes vraiment, ce qui se cache derrière vos yeux verts...

Nelly éclata de rire et s'exclama :

— N'allez pas chercher trop loin... Je ne suis qu'une grande fille toute simple !

— Je n'en suis pas si sûr, dit-il en hochant la tête, l'air dubitatif.

Pour toute réponse, Nelly se drapa dans une serviette, et alla s'asseoir sur un rocher. Elle n'était pas mécontente, au fond, de l'intriguer. N'était-ce pas une façon de capter son intérêt ?

Aldo chaussa ses palmes, ajusta son masque...

— Je vais essayer de rapporter quelque chose.

Puis, muni de son harpon, il s'enfonça dans la mer... Sa tête réapparaissait à intervalles réguliers. De loin, elle le voyait secouer la tête négativement... Nelly le regardait avec envie. Elle n'avait jamais pratiqué ce sport, car elle avait toujours eu un peu peur des fonds marins. Mais la présence d'Aldo la rassurait. Pourquoi n'essaierait-elle pas elle aussi ?

Un cri de triomphe la tira de ses réflexions. Bientôt, elle le vit sortir de l'eau à grandes enjambées, brandissant un poisson que la flèche du harpon avait percé de part en part.

Elle courut à sa rencontre tout excitée.

— C'est un mérou, il y en a pas mal par ici...

Entre les mains d'Aldo, sa proie était encore agitée de soubresauts. C'était un poisson de bonne taille, aux reflets irisés, à la grosse bouche lippue...

— C'est donc si facile que ça ? s'enquit-elle.

— J'ai l'habitude... Cela fait des années que je pratique la pêche sous-marine... Il faut simplement avoir de la chance, et le réflexe rapide...

Il avait l'air content comme un enfant qui vient de réussir un exploit.

— Nous allons le faire griller...

Il eut tôt fait de creuser le sable, de disposer des pierres plates pour constituer un foyer rudimentaire. Ensemble, ils cherchèrent des brindilles pour allumer le feu. Nelly admira l'habileté avec laquelle il sut vider le poisson et l'installer sur les pierres pour qu'il cuise.

Ces préparatifs terminés, il sortit du sac qu'il avait

apporté deux assiettes, deux verres, des couverts. Une fois de plus, elle constata qu'il avait l'art de tout prévoir dans les moindres détails. Il disposa sur une serviette du pain, du fromage, quelques fruits... Nelly avait l'eau à la bouche à la perspective de ce pique-nique impromptu.

Aldo surveillait la cuisson du poisson d'un œil expert. Manifestement, il était ravi. « Comme tout pourrait être simple »... songea Nelly, fugitivement.

— Quelle chaleur ! J'ai soif, pas vous ?

Il versa dans les verres le vin qu'il avait eu soin de mettre au frais en arrivant. Soulevant le sien à la hauteur des yeux, il dit, fixant Nelly de son regard aigu :

— A vos amours...

Nelly n'osa pas user de la même formule. Comme s'il avait perçu sa gêne, il enchaîna aussitôt.

— Il est à point... nous n'avons plus qu'à nous mettre à table !

Nelly, qui avait très faim, ne se le fit pas dire deux fois. Dès la première bouchée, « hmmm... », dit-elle d'un air pâmé...

C'était effectivement délicieux. La chair délicate du mérou avait un exquis parfum d'algue, de poisson tout frais pêché...

Tout au long de ce repas improvisé, Nelly avait l'esprit préoccupé. Elle se demandait comment elle allait aborder à nouveau le sujet brûlant des événements de la nuit passée. Elle avait peur, en parlant, de briser l'atmosphère de cette merveilleuse matinée... mais il lui semblait impossible de demeurer plus longtemps dans l'expectative. L'incertitude de son sort, de nouveau, la taraudait.

Tout en mordant dans une pêche juteuse, elle prit son courage à deux mains.

— Aldo...

Il releva la tête, d'un air interrogatif. Le désarroi de

Nelly devait être visible, car il dit, avec un soupir résigné :

— Oui... Qu'y-a-t-il ?

— Il faut que je sache, Aldo... Qui est cette jeune fille ?

— Pardon ?

— Oh ! s'impatienta Nelly, ne faites pas semblant de ne pas comprendre... Cette jeune fille que j'ai vue cette nuit, pourquoi est-elle prisonnière ?

Il repoussa son assiette, et avec une brindille, il traça un vague dessin sur le sable. Les secondes s'écoulaient, pesantes, tandis que Nelly attendait, le geste en suspens... Enfin, il se décida, et laissa tomber :

— Je ne peux pas répondre... pas maintenant.

Mais Nelly s'entêtait :

— Si, il le faut. Vous n'avez pas le droit...

Il la coupa, d'un ton sec :

— Cela ne regarde que moi !

— Ah ! non, alors ! C'est trop facile de s'en tirer comme ça... Enfin, rendez-vous compte : vous retenez prisonnière une jeune fille... à mon tour, vous ne voulez plus me relâcher, et vous voudriez que j'attende bien gentiment, sans rien dire, le sort que vous avez décidé de nous réserver ?

L'atmosphère était à nouveau chargée d'électricité. Avec une colère contenue, il cria plus qu'il ne dit :

— Mais pourquoi vous occupez-vous toujours de ce qui ne vous regarde pas ? Votre présence complique tout... Pour cette raison, je préfère vous garder ici pour le moment... J'ai besoin de réfléchir, de tirer les choses au clair...

Nelly ricana nerveusement :

— Vous avez peur de ce que je pourrais raconter, c'est ça, non ?

— Ne soyez pas stupide... Vous ne feriez que vous jeter dans la gueule du loup!

— Vous avez l'art de retourner les situations! Encore une fois, je ne sais quelle idée saugrenue vous vous êtes mis dans la tête en ce qui me concerne... Il n'empêche que cette jeune fille...

— Oh! assez! l'interrompit-il avec impatience, vous n'avez rien à craindre de moi, ni elle, ni vous... enfin, si vous êtes aussi innocente que vous voulez bien le dire!

— Qu'est-ce qui me permet de le croire? articula-t-elle, en détachant toutes ses syllabes.

Bien campée sur ses deux jambes, elle le regardait, ses yeux verts étincelants de fureur. A son tour, il se leva et esquissa un pas vers elle. Tendant la main dans un geste d'apaisement :

— N'allez pas tout gâcher... Nelly... s'il vous plaît...

Mais elle recula, toujours sur la défensive.

— Alors, expliquez-vous... Vous ne voyez donc pas dans quelle situation impossible vous me mettez avec tous vos mystères? Je n'ai pas l'intention de moisir ici... Et puis, je n'ai pas rêvé cette nuit. Oui ou non, n'y-a-t-il pas là-bas une jeune fille enfermée?

Elle désignait du doigt la direction de la villa.

Il s'approcha d'elle et lui mit les deux mains sur les épaules, la forçant à rencontrer son regard.

— Je comprends votre énervement, Nelly. Un jour, que j'espère très prochain, vous comprendrez tout, je vous le jure...

Elle se dégagea, haussant les épaules.

— Vous et vos serments... Comment vous croire? Vous mentez sans arrêt...

— Comment ça?

— Je croyais que je pourrais revenir à terre ce matin...

— Je vous l'ai dit : je vous libérerai dès que je le pourrai...

Elle reprit, nullement calmée :

— Ne m'avez-vous pas dit aussi que vous étiez un « vieux loup solitaire » ?...Elle appuya ces derniers mots d'une intonation pleine de dérision. « Or, je vous ai entendu, pas plus tard qu'il y a quelques heures, faire des déclarations enflammées à une femme... qu'en plus, vous séquestrez comme moi... Comment pourrais-je vous faire confiance ?

Il soupira, découragé :

— Je vois bien que vous ne pouvez pas comprendre... Nelly, je vous demande pourtant de me croire. Tout ceci n'est qu'un immense malentendu. Quand vous saurez la vérité...

Sa phrase resta en suspens, Nelly ne l'écoutait plus. Une idée folle venait de lui traverser l'esprit... Le chris-craft ! Elle le savait non loin, caché par une anfractuosité de rocher. Comment n'y avait-elle pas pensé plus tôt ? Elle allait s'enfuir... Dès lors, il pouvait bien lui raconter tous les boniments de la terre... Elle était décidée à le planter là, dans son île ! Elle irait tout raconter à la police...

Pour masquer son soulagement, elle entreprit de ramasser les assiettes, les verres...

— Laissez... je vais le faire, dit-il, en essayant de lui prendre la pile de vaisselle des mains.

— Je vais aller rincer tout ça, répondit-elle, avec un calme apparent.

Tout en se dirigeant vers le bord de l'eau, elle essayait de mettre son plan sur pied. « Il faut, avant tout, que j'endorme sa méfiance », songea-t-elle.

Ensemble, sans mot dire, ils remirent de l'ordre à l'endroit où s'était tenu leur pique-nique, faisant disparaître toute trace de leur repas.

— S'il y a une chose que je ne supporte pas, dit Aldo, c'est qu'on laisse derrière soi bouteille ou papiers gras... Et Dieu sait que les bords de mer n'en manquent pas...

Nelly approuva. Elle détestait elle aussi le laisser-aller de certains touristes que n'embarrassent pas les scrupules. Pour rien au monde, elle n'aurait voulu se comporter de la sorte.

La chaleur accablante de la mi-journée commençait à l'incommoder, et son visage avait pris une teinte cramoisie.

— Je crois que je vais faire une petite sieste, dit-elle en s'étirant.

— C'est une bonne idée. D'ailleurs, pour nous autres, Méridionaux, c'est presque un rite...

Ils rirent tous deux de bon cœur. Ils paraissaient réconciliés. Ils s'allongèrent à l'ombre des pins-parasols. Nelly avait mis une serviette sous sa tête pour faire écran à la brûlure du sable. Des insectes tournoyaient autour d'eux, qu'ils chassaient de la main dès qu'ils cherchaient à se poser.

Elle avait les yeux mi-clos. Derrière ses longs cils, elle observait son compagnon dont la respiration s'était faite lente et régulière. Il semblait s'être endormi pour de bon. Dans le calme revenu de cette flamboyante journée d'été, elle essayait de mettre un peu d'ordre dans les pensées qui l'agitaient.

La vue du corps d'Aldo, abandonné dans son sommeil, l'émouvait étrangement. Une vérité s'insinuait en elle avec de plus en plus d'insistance. La véhémence avec laquelle elle s'était affrontée à lui, quelques instants auparavant, n'était pas seulement due à la colère : elle était jalouse ! Jalouse de cette inconnue juste entrevue, enfermée à double tour entre les murs de la villa.

Cette découverte lui fut désagréable. Au fond, elle en voulait moins à Aldo de la priver de sa liberté, que de ses mensonges. Comment pouvait-il jouer aussi cyniquement à ce double jeu ? Elle était certaine qu'elle ne lui était pas insensible, et, dans le même temps, elle avait eu la preuve qu'il en aimait une autre. « Il a vraiment une curieuse manière de témoigner son amour aux femmes... en les enfermant ! » se dit-elle, avec dépit...

Toujours endormi, il se retourna sur le flanc avec un soupir. Le bras replié contre sa joue, il lui faisait face à présent. Comme son visage, au repos, était beau ! Nelly détailla avec attention l'arc de ses sourcils, bruns et fournis, la courbe de sa bouche bien dessinée, son menton volontaire... Il avait des traits typiquement latins, mais empreints d'une noblesse comme celle que l'on retrouve sur les portraits laissés par les peintres italiens des siècles passés. Mais il restait, pour elle, l'inconnu rencontré le premier jour. Au fond, que savait-elle de lui ? Rien, ou si peu de choses...

A ce point de ses réflexions, elle s'en voulut de se poser toutes ces questions. Une seule chose comptait, désormais : mettre à exécution son projet.

Elle attendit encore un long moment, sans faire le moindre mouvement. Puis, quand elle fut absolument sûre qu'il ne pouvait pas l'entendre, elle se redressa doucement. Ses pas, sur le sable, ne faisaient aucun bruit... Elle marcha, d'abord, lentement, d'une allure naturelle. Lorsqu'elle eut franchi une certaine distance, elle se mit à courir. Elle contourna un rocher qui la mettait à l'abri de la vue d'Aldo.

Le chris-craft était bien là, échoué sur la plage... Elle s'en approcha furtivement, le cœur en émoi. Jamais elle ne s'était servie d'une embarcation de ce genre... saurait-elle la faire démarrer ?

De toutes ses forces, elle s'arc-bouta pour la faire glisser jusqu'à l'eau. Mettre en marche le moteur était une autre affaire ! Il fallait sûrement se servir de la courroie munie d'une poignée de caoutchouc qui gisait dans le fond, comme elle l'avait déjà vu faire...

D'un mouvement violent, elle tira sur la lanière. A son grand désappointement, rien ne se produisit. Elle recommença une fois, deux fois... toujours rien. Elle était en nage... Avec fureur, elle continua à s'escrimer, mais le moteur, décidément, refusait de partir.

« Aldo a sûrement dû couper l'arrivée d'essence, j'aurais pu le prévoir... »

Elle s'essuya le front d'un revers de main, regardant d'un œil mauvais l'engin récalcitrant. Elle sentait des gouttes de transpiration dégouliner le long de son dos, mais ce n'était pas seulement dû à la chaleur.

Elle serra les dents. Il fallait qu'elle réussisse, il le fallait à tout prix ! Encore une fois, elle se baissa, pour une ultime tentative. Mais elle n'eut pas le temps d'achever son geste : deux bras venaient de la saisir à bras-le-corps, et la tiraient en arrière.

Elle comprit en un éclair qu'Aldo avait déjoué son plan. Celui-ci venait d'échouer lamentablement.

CHAPITRE VIII

DANS leur lutte, ils tombèrent à l'eau, serrés l'un contre l'autre, bien que Nelly se débattît avec une énergie décuplée par la rage. La tête un instant immergée, elle avala une gorgée d'eau salée. Suffoquant, elle haleta :

— Lâchez-moi...

Mais il n'avait pas l'air de vouloir obtempérer. Malgré les coups de pied désespérés que lui décochait Nelly, il eut tôt fait de la traîner sur le rivage, où ils tombèrent tous deux, enlacés dans une étreinte sans merci.

Elle vit, tout contre son visage, ses mâchoires crispées, et son regard menaçant. Elle roulait sa tête d'un côté, de l'autre, et hurla :

— Brute ! arrêtez !

Son cri s'arrêta dans sa gorge. Les lèvres d'Aldo étaient collées contre les siennes. Tout son sang reflua dans ses veines... Elle ne pouvait rien dire, rien faire, il la dominait de toute sa force. Tout se brouilla dans sa tête, elle n'avait plus qu'une sensation, qui brûlait son être tout entier : il l'embrassait furieusement, avec une folle passion.

Elle essaya de résister, sans succès. Alors, elle s'abandonna, sans plus penser à rien qu'à ce baiser de feu qui l'emportait dans un autre monde... Ce n'est que lorsqu'elle sentit qu'il se faisait plus pressant, qu'elle se raidit, et ouvrit les yeux :

— Non... Aldo... il ne faut pas...

Mais il ne relâchait pas son étreinte. D'un soubresaut, elle se dégagea. Visage contre visage, ils se regardèrent intensément.

— Petite folle... finit-il par dire avec un effort, ne tentez pas le diable...

Ils se redressèrent avec lenteur, comme au ralenti. Sur leurs corps bronzés, l'eau ruisselait, étincelante. Aldo, d'un coup de pied rageur, remit l'embarcation sur le sable.

— Qu'est-ce qui vous a pris d'agir comme cela ? Ce n'est pas bien... Si j'avais pu me douter que vous auriez l'audace de profiter de mon sommeil...

Nelly, embarrassée, ne savait quelle contenance prendre. Tout avait pris soudain une tournure qu'elle n'avait pas prévue, et dont elle discernait mal les conséquences. Le baiser d'Aldo l'avait troublée plus qu'elle ne voulait le laisser paraître.

Lui relevant le menton avec sa main, Aldo voulut la forcer à le regarder bien en face.

— Ce qui vient de se passer a été plus fort que moi. J'ai d'abord été saisi de rage quand j'ai compris que vous vouliez vous enfuir de cette façon. Et puis je... j'ai été dépassé par les événements. Vous n'aviez d'ailleurs pas l'air de trouver cela tellement désagréable...

Nelly se sentit rougir jusqu'à la racine des cheveux.

— Vous étiez le plus fort... vous n'auriez pas dû...

Elle le vit serrer ses poings. Avec effort, il articula d'une voix basse :

— Eh bien... je vous fais mes excuses. Oublions cela, voulez-vous...

En elle-même, Nelly se dit que ce ne serait sûrement pas aussi facile, mais elle ne souffla mot. L'ouragan qui venait de s'abattre sur elle la laissait sans réaction. Consciente du plaisir qu'elle avait ressenti, elle sentait monter en elle une émotion qu'elle avait crue bien morte depuis sa rupture avec Chris.

Aldo marchait à trois pas devant elle en sifflotant. Son apparente désinvolture la révolta après ce qui s'était passé. Comment pouvait-il ? Le plantant là, elle courut se jeter à l'eau. Elle avait besoin de passer ses nerfs en nageant !

Comme elle s'y attendait, elle l'entendit qui plongeait à son tour. Parvenu à sa hauteur, il s'ébroua en soufflant, et avec un sourire narquois, il lui lança :

— A présent, je ne vous quitte pas d'un pouce !

Le soleil était encore haut dans le ciel. L'air vibrait sous l'effet de la chaleur intense qui régnait. Paraissant avoir oublié ces instants d'intimité qui les avaient rapprochés, ils passèrent le restant de l'après-midi à se baigner, et à paresser sur le sable. Une complicité souriante s'était installée entre eux, et ils savouraient sans arrière-pensée apparente le plaisir d'être ensemble.

Avec le masque et le tube de plongée, à son tour, Nelly avait découvert le spectacle prodigieux qui s'offrait à elle sous la surface de l'eau. Elle ne se lassait pas de contempler les myriades de petits poissons qui évoluaient dans la lumière bleutée, au milieu de rochers aux couleurs étranges. Ils avaient aussi pêché des oursins dont ils s'étaient promis de se régaler le soir même.

Pendant quelques heures, Nelly s'appliqua à ne penser à rien d'autre. Elle sentait bien, tapie en elle, une souffrance à laquelle elle ne voulait surtout pas s'abandonner : il était, désormais, clair pour elle qu'elle était terriblement amoureuse...

Quand le soleil commença à décliner à l'horizon, ils se décidèrent, enfin, à mettre un terme à leurs ébats.

— Une cigarette ? proposa Aldo, après s'être vigoureusement frictionné avec sa serviette.

— Non merci. Vous devriez savoir à présent que je ne fume pas, répondit-elle en riant, tandis qu'elle enfilait sa robe par-dessus son maillot.

Il lui caressa la joue avec douceur.

— Vous êtes vraiment une fille très séduisante... et sportive, avec ça ! Je n'aurais jamais cru que sous vos dehors fragiles se cachait une nageuse aussi émérite...

— J'ai été championne universitaire ! répondit-elle, avec une certaine fierté.

— Championne ? Voyez-moi ça...

Il chercha à l'enlacer, mais Nelly le repoussa avec une brusquerie qui lui fit froncer les sourcils.

— Mais... pourquoi ? Il me semble que vous ne vous défendiez pas tant tout à l'heure...

— Évidemment ! Comment aurais-je pu ? Vous m'écrasiez...

Pour toute réponse, Aldo lui prit la tête, et l'embrassa avec violence. Une fois de plus, Nelly sentit toute force la quitter. Une chaleur qu'elle croyait avoir oubliée l'envahissait. Elle fit un effort surhumain pour s'arracher à ce baiser.

— Non... Vous êtes fou... je ne veux pas.

Cette fois, il la toisa avec colère :

— Oh ! à la fin... quand cesserez-vous de vous comporter comme une petite fille ! Je déteste les allumeuses de votre genre !

Elle ouvrit la bouche, stupéfaite. L'insulte l'avait frappée de plein fouet.

— Vous ne manquez pas de culot ! Mais c'est vous qui vous jetez sur moi... et par surprise, encore ! Oh ! et puis, j'en ai assez !

Furieuse, elle lui tourna le dos, et s'accroupit pour attacher la lanière de ses sandales. Elle n'arrivait pas à maîtriser le tremblement de ses mains, trahissant ainsi son désarroi. Elle était accablée par le poids des sentiments contradictoires qui l'assaillaient.

A quelques pas d'elle, Aldo allait et venait sans cesse, tirant avec nervosité sur sa cigarette. Elle comprit que, lui aussi, avait du mal à retrouver son calme.

Elle lui lança sa serviette, et, sans se retourner, elle entreprit de gravir le sentier. L'un suivant l'autre, ils escaladèrent, sans échanger un seul mot, les quelques centaines de mètres qui les séparaient de la villa.

Parvenue au sommet de son ascension, un grognement soudain la fit sursauter. Relevant la tête, elle se trouva nez-à-nez avec l'affreux homme chauve, immobile, campé sur ses deux courtes jambes, qui la fixait de son regard impassible. Exhibant leurs crocs, les deux molosses tiraient sur leur laisse à s'en étrangler.

— Aldo !

Terrifiée, Nelly dégringola à sa rencontre, cherchant refuge auprès de son compagnon. Surpris, il la considéra, d'un air interrogateur. Elle pointa le doigt vers le haut du sentier.

— Les chiens... ils sont là... ils me font horriblement peur !

— Là... là... calmez-vous. Avec moi, vous ne risquez rien.

Il lui entoura les épaules d'un bras ferme. A son contact, Nelly ressentit un immense soulagement, et, de leurs pas accordés, ils reprirent leur progression.

Arrivé à sa hauteur, Aldo échangea quelques mots avec l'homme qui, toujours silencieux, tourna les talons et s'éloigna avec les deux énormes bêtes.

Avec un frisson de dégoût, Nelly sentit dans son dos son regard de glace. Elle murmura :

— Je ne m'y ferai jamais... J'ai l'impression qu'ils me dévoreraient s'ils le pouvaient !

Aldo se contenta de la serrer un peu plus contre lui.

— N'ayez pas peur, souffla-t-il dans ses cheveux. Vous m'avez déjà prouvé que vous êtes capable de garder votre sang-froid en d'autres circonstances...

Mais Nelly sentit que c'en était bien fini de l'insouciance des quelques heures qu'ils venaient de passer ensemble. Une angoisse vague la reprit dès qu'elle fut en vue de la villa.

Pourtant, elle n'avait rien de menaçant, cette maison, dont le soleil couchant dorait les tuiles du toit. Avec sa façade ocre, ses volets à jalousies aux couleurs délavées, elle était semblable à ces demeures vieilles et nobles qu'on rencontre si souvent en Sicile. Enfouie au milieu d'un foisonnement de végétation luxuriante, qu'avait-elle de si redoutable ? Nelly n'aurait su le dire... Dans le jardin, plantes grasses et lauriers-roses étaient déjà plongés dans l'ombre. Seul, le faîte des palmiers, agité par une légère brise, était baigné d'une lumière dorée.

Umberto leur ouvrit la porte, et prit le sac qu'Aldo lui tendit. S'étirant nonchalamment, celui-ci s'exclama :

— J'ai besoin de boire quelque chose de frais, pas vous ?

— Oh ! si ! opina Nelly, qui avait le gosier absolument desséché.

— Attendez-moi dans le salon, je reviens tout de suite !

Restée seule dans la pénombre, Nelly s'effondra dans un fauteuil. Elle s'était tellement dépensée durant cette journée qu'elle se sentait épuisée. De sa place, elle jeta un coup d'œil au bureau : il était parfaitement rangé, aucun papier n'y traînait. Une porte claqua quelque part. Nelly tendit l'oreille, aux aguets, mais le silence était retombé.

De longues minutes s'écoulèrent, interminables. A présent, la nuit tombait. La tête appuyée en arrière, Nelly somnolait presque.

« Mais qu'est-ce qu'il fabrique ? » se demandait-elle...

Il parut enfin, portant des verres sur un plateau. La voyant alanguie, il s'enquit :

— Fatiguée ?

— Je crois que j'allais m'endormir... en fait, je me sens un peu moulue.

Près d'elle, il disposa les verres, une coupe remplie d'olives...

— Mais il fait noir comme dans un four, ici !

Dans un coin éloigné de la pièce, il alluma une lampe. Puis il ouvrit un placard qui tenait lieu de bar.

— Que voulez-vous boire ? Américano ? Whisky ? Jus de fruit ?

— Tout simplement, un jus d'orange bien frais, je meurs de soif...

Après l'avoir servie, il s'approcha d'un électrophone dont Nelly n'avait pas noté la présence jusqu'alors. Il choisit un disque avec soin, le posa et appuya sur un bouton. Les premières notes d'une musique mélodieuse s'égrénèrent...

Tenant son verre, il vint s'asseoir sur l'accoudoir du fauteuil où se trouvait Nelly. Un moment passa, sans qu'ils esquissent le moindre geste, attentifs au chant des violons. Nelly ferma les yeux, gagnée par une émotion qu'elle ne parvenait pas à endiguer. Elle sentit qu'Aldo posait sa main sur la sienne.

— Si nous dansions...

— Oh ! non... je suis trop fatiguée.

— Cela ne demande pas un si gros effort ! Allez... venez.

Avec réticence, elle se leva. Il l'enlaça tendrement. Aussitôt, sa lassitude s'évanouit, comme par enchantement. Seule comptait la merveilleuse et troublante sensation d'être à nouveau dans ses bras. Leurs pas s'accordaient à la perfection. Elle laissa aller sa tête contre son épaule, prise d'un vertige délicieux.

Quand le disque s'arrêta, ils se séparèrent à regret, mais il garda sa main prisonnière de la sienne. A brûle-pourpoint, il demanda :

— Pensez-vous toujours à votre film ?

Elle secoua la tête, prise au dépourvu.

— A vrai dire, en ce moment... non.

— Est-il si important pour vous ? Ne pourriez-vous le remettre à plus tard ?

Elle poussa un gros soupir.

— Bien sûr que non. Je n'y songe même pas. Mon amie arrive demain, l'avez-vous oublié ?

— Hélas, non.

Pendant quelques instants, ils se dévisagèrent sans rien dire, aussi troublés l'un que l'autre. Nelly songea avec désespoir qu'une fois de plus les événements la précipitaient, tête baissée, dans une situation dont elle ne pouvait prévoir le dénouement.

Elle se décida à murmurer, d'une voix faible :

— Je crois que je vais monter dans ma chambre... J'ai besoin de me retrouver un peu seule.

Il n'insista pas, mais elle sentit son regard la suivre jusqu'à ce qu'elle ait disparu.

Dans la salle de bains, elle s'examina attentivement dans la glace.

— Ma pauvre Nelly, dit-elle tout bas, devant son image, dans quelle aventure t'es-tu encore embarquée ?

Elle se sourit, satisfaite, malgré tout de son aspect. Son visage, et son corps tout entier avaient pris un hâle splendide. Machinalement, elle massa ses épaules un peu meurtries par la brûlure du soleil.

Après avoir rincé ses cheveux et s'être douchée, elle retrouva toute son énergie.

Derrière la porte, elle entendit des pas et le tintement d'une vaisselle entrechoquée. Doucement, elle l'entrouvrit : elle vit le dos de Carmela, la femme de chambre, qui s'en allait dans le couloir, munie d'un plateau.

Sans même réfléchir, elle lui emboîta le pas sans faire de bruit... A l'angle que faisait le couloir, elle se plaqua au mur, sur le qui-vive... Elle entendit Carmela frapper à la porte du fond, celle-ci s'ouvrit, puis... plus rien. Vite, elle courut s'enfermer dans sa propre chambre, attendant que la femme ait redescendu les escaliers.

Sa décision était prise. Coûte que coûte, il fallait cette fois-ci qu'elle réussisse à forcer la porte de l'inconnue. Mais si elle était verrouillée ? Tant pis, elle verrait bien...

Quand elle fut sûre qu'elle ne risquait plus de rencontrer quelqu'un, elle se précipita dehors. Elle avait le sentiment qu'elle allait enfin avoir la clé d'un mystère qui l'obsédait depuis la veille.

Parvenue à son but, elle frappa à petits coups contre le lourd battant de chêne. Il y eut un léger bruit, puis une voix inquiète demanda en italien :

— Qui est là ?

— C'est moi... ouvrez... ouvrez moi je vous en prie !

Pas de réponse. De l'autre côté, le silence s'était fait total. A nouveau Nelly supplia à mi-voix :

— Sandra... ouvrez la porte... il le faut.

Toujours le silence. Le cœur battant à tout rompre, Nelly tourna le bouton qui, à sa grande surprise, n'offrit aucune résistance... La porte n'était pas fermée à clé !

Elle la poussa avec douceur et pénétra dans la pièce. La jeune fille, l'air épouvanté, poussa un cri étouffé.

— Chut ! Nelly mit un doigt sur ses lèvres... Je ne vous veux aucun mal...

— Mais... qui êtes-vous ? articula l'autre, en un français fortement teinté d'accent italien.

— Je m'appelle Nelly...

Elles se dévisagèrent quelques instants, avec la même interrogation muette dans le regard. L'inconnue avait l'air d'avoir une vingtaine d'années. Une raie médiane partageait sa chevelure sombre qui retombait souplement sur ses épaules encadrant un visage fin, aux traits réguliers, dont la singulière beauté frappa Nelly. Dans ses immenses yeux noirs remplis d'effroi, elle vit passer une lueur étrange...

D'un regard aigu, Nelly jaugea son interlocutrice. Dans une robe rouge, retenue par de fines bretelles, qui mettait en valeur son teint mat, celle-ci avait une grâce altière qui l'impressionna.

— J'ai besoin de vous parler... Sandra.

L'inconnue cilla. Visiblement, cela l'étonnait que Nelly sache son nom. Devant son silence persistant, Nelly continua.

— Je veux savoir pourquoi Aldo vous retient prisonnière...

Sandra pâlit, recula d'un pas... mais ne dit mot. Nelly se demanda tout à coup si elle comprenait ce qu'elle disait.

— Vous parlez le français, n'est-ce pas ?

D'un battement de paupières, l'autre acquiesça.

— Je vois bien que vous avez peur... Mais que craignez-vous ?

La jeune fille eut un regard implorant. Elle se tordait les mains, en proie à une extrême agitation. Nelly s'approcha d'elle, mais la jeune fille fit un geste de recul, se protégeant le visage de son bras replié.

— N'approchez pas ou je crie !

Sa voix basse était rauque. Elle avait l'air d'un petit animal traqué. Nelly eut pitié d'elle.

— Mais je ne vous veux que du bien... dites-moi seulement qui vous êtes ?

— Sortez... je vous en prie.

— Non. Pas tant que je n'aurai pas éclairci ce mystère.

— Où est Aldo ?

— Aldo ? En bas, sans doute... que lui voulez-vous ?

— Je veux qu'il vienne...

Nelly se raidit imperceptiblement. Il lui sembla un instant que son cœur s'arrêtait de battre. Ainsi, la jeune fille ne nourrissait aucun sentiment hostile à l'égard de son geôlier.

— Je suis venue pour vous libérer... pour vous aider. Ne vous occupez pas d'Aldo : vous voyez bien comment il vous traite...

La jeune fille se figea dans un silence farouche. Son regard sombre jetait des éclairs.

— Écoutez... cette nuit, si vous voulez, nous pourrions essayer de nous enfuir avec le bateau... Parce que moi aussi je suis prisonnière... Après, je téléphonerai à la police.

— Oh ! non !... non... je veux rester ici !

Interloquée par l'affolement incompréhensible de Sandra, Nelly se tut, ne sachant plus quoi dire. Puis, avec une colère qui faisait vibrer sa voix, elle articula :

— Mais, ma parole, vous l'aimez ce monstre...

— Oui... mais oui, bien sûr, je l'aime... lui seul peut me protéger.

Nelly ricana, mais des larmes de rage perlaient à ses paupières.

— Dans ces conditions, je vois, en effet, que ma démarche est absurde...

D'un geste brusque, elle se retourna et quitta la pièce, sans même prendre le temps de refermer la porte.

Quand elle se retrouva dans sa chambre, elle se jeta sur son lit, en sanglotant convulsivement.

— Je le déteste... Je le hais... le salaud ! bégayait-elle, le nez enfoui dans son oreiller, en martelant le matelas de ses poings fermés.

Toute à son désespoir, elle ne se rendit pas compte que la pièce était plongée dans l'obscurité la plus totale. Elle avait dû somnoler, lorsqu'elle entendit frapper à sa porte à coups redoublés.

— Nelly... Nelly... il est tard. Le dîner est prêt !

La voix d'Aldo, cette voix chaude qui l'avait émue auparavant, lui faisait désormais horreur. Elle renifla, sans répondre.

— Nelly... vous ne vous sentez pas bien ?

— Laissez-moi, cria-t-elle. Je veux être tranquille !

Elle l'entendit chuchoter :

— Qu'est-ce qui se passe ?

— Fichez le camp ! Vous entendez ? Je ne veux plus vous voir... Plus jamais !

Il y eut quelques secondes de silence, puis, elle entendit ses pas qui s'éloignaient.

Seule à présent, Nelly recommença à pleurer doucement, le cœur étreint par un chagrin infini. Elle n'avait plus qu'une idée : partir. Ne plus jamais entendre parler de lui, de ce sale individu et de ses sombres manigances. Elle se remémorait, avec des sursauts de révolte les moments d'intimité qu'ils avaient eus ensemble... « le salaud »... n'arrêtait-elle pas de murmurer, les dents serrées...

Elle finit par se glisser sous ses draps, en sanglotant de plus belle.

CHAPITRE IX

ELLE dormit mal, cette nuit-là, d'un sommeil agité, peuplé de cauchemars. L'un deux, surtout, la réveilla en sursaut, baignée de sueur : attachée sur une chaise, avec de grosses cordes qui lui meurtrissaient la peau, elle se trouvait sous la menace d'un gros revolver brandi par une Sandra grimaçante. Derrière celle-ci, avait surgi Hélène, qui riait et battait des mains à ce spectacle...

A un autre moment, il lui sembla entendre une sonnerie stridente, répétée... « Le téléphone »... mumura-t-elle, mais elle se rendormit aussitôt.

Alors qu'il faisait grand jour, un bruit furtif la tira de sa torpeur. Elle ouvrit les yeux sans conviction. Elle n'avait pas vraiment envie de se réveiller, sachant confusément qu'elle allait se retrouver face à une situation qui n'avait rien d'agréable.

Tournant son regard vers la porte, ce qu'elle vit lui redonna d'un coup toute sa lucidité. Elle s'assit brusquement, se frottant les yeux. Non... elle n'avait pas la berlue ! Un rectangle de papier blanc était glissé sous la porte. « Une lettre ! » murmura-t-elle.

Rejetant draps et couvertures, elle posa les pieds à terre et courut ramasser ce qui était effectivement une enveloppe. Un seul mot y figurait : « Nelly ».

Elle la tourna et la retourna entre ses doigts, ne se décidant pas à l'ouvrir... sans savoir pourquoi, elle avait peur de ce qu'elle allait découvrir. Ses mains tremblaient légèrement en la décachetant. Une feuille pliée en quatre s'y trouvait, barrée de quelques lignes tracées à la hâte : « Nelly, dès que vous serez prête, je vous ramènerai à votre hôtel ». C'était signé : « A. ». On ne pouvait être plus laconique !

Elle lut et relut ce bref message, déçue de n'y trouver aucune autre indication. Elle chiffonna le papier, qu'elle jeta dans un coin distraitement. Une chose était sûre : elle allait, enfin, quitter l'île. Était-elle soulagée ? Après l'avoir ardemment désiré, elle n'en était plus si certaine... Mais elle était surtout très étonnée de ce revirement inattendu. Que s'était-il donc passé ? Aldo était vraisemblablement au courant de son irruption dans la chambre de Sandra... Était-ce à cause de cela ? Nelly renonça momentanément à trouver la solution de ce nouveau coup de théâtre.

Ouvrant la fenêtre toute grande, elle s'étira au soleil. Malgré sa mauvaise nuit, elle se sentait plus calme. Le temps splendide qui l'inondait de sa lumière lui mettait du baume au cœur. Elle en avait bien besoin après toutes ces émotions qui la bouleversaient encore...

Après avoir fait une toilette rapide, elle jeta un dernier regard à la chambre. Elle était au moins convaincue d'une chose : elle ne la reverrait plus jamais !

Le hall était désert. La maison, comme à l'accoutumée, était silencieuse, comme si personne ne l'habitait. Avec une certaine appréhension, Nelly poussa la porte du salon. Comment Aldo allait-il l'accueillir ?

Il était là, assis à son bureau, en train d'écrire. Comme elle restait sur le seuil, indécise, il lui dit :

— Bonjour ! Eh, bien entrez... vous n'allez tout de même pas me faire croire que je vous fais peur...

Elle crut sentir une moquerie dans sa voix, ce qui acheva de la mettre mal à l'aise.

— Vous avez bien dormi ? s'enquit-il, le visage impassible.

— Peu importe... quand partons-nous ?

— Vous êtes bien pressée ! N'ayez aucune inquiétude à ce sujet. Mais je ne voudrais pas que vous partiez le ventre creux. Que désirez-vous ? Thé ? café ?

Nelly était agacée au plus haut point par cette politesse affectée qui ne la touchait nullement. Mais après tout, quelques minutes de plus ou de moins, cela n'avait vraiment plus d'importance...

— Je veux bien du café.

Quelques instants plus tard, elle était attablée, dans la salle à manger, devant une tasse de café fumant, une pile de toasts grillés, du beurre, de la confiture. Aldo s'était éclipsé, la laissant seule.

« Il n'est pas bavard, ce matin », songea-t-elle.

Au fond, cela l'arrangeait. Elle ne se sentait pas d'humeur à croiser le fer, et jugeait inutile d'entamer une discussion stérile. Elle avait décidé que l'indifférence était la seule attitude possible.

Il réapparut, alors qu'elle beurrait sa dernière tartine.

— Vous êtes prête ?

— Oui.

— Alors, allons-y...

Ils n'échangèrent plus une seule parole jusqu'à la plage. Au moment de monter dans le canot, elle enleva sa robe, ses sandales, ne gardant sur elle que son maillot.

— Tenez, fit-elle avec dédain, vous pourrez lui rendre ses vêtements puisque je n'en ai plus besoin.

Calmement, avec des gestes méticuleux, elle déposa le tout en un petit tas bien rangé, sur un rocher. Aldo tressaillit, mais ne dit rien.

Assise au fond de l'embarcation, elle assista, passive, aux manœuvres de départ. Mais, cette fois-ci, le moteur consentit à démarrer dès la première sollicitation...

Le bruit qu'il faisait rendait toute conversation impossible. Le cœur gros, Nelly s'absorba dans ses pensées. L'aimait-elle encore ou le haïssait-elle ? Elle n'aurait su le dire. Assis sur le rebord, Aldo, les cheveux soulevés par le vent, avait le regard fixé droit devant lui, attentif à bien diriger le gouvernail.

Au fur et à mesure que la terre se rapprochait, en dépit de son soulagement, Nelly ressentait une douleur aiguë. Ainsi, dans quelques instants, la séparation serait inéluctable.

Le bruit du moteur baissa d'intensité, le canot ralentit, et bientôt ils abordèrent sur le rivage. Nelly reconnut la plage, et, non loin, le petit hôtel qu'elle avait quitté deux jours auparavant.

— Vous voilà saine et sauve... vous devez être contente ? Un sourire amer accompagna ses paroles.

Nelly réprima un sanglot qui montait dans sa poitrine, et ne put qu'hocher la tête évasivement. Pour la première fois de la matinée, elle lut dans ses yeux quelque chose qui ressemblait à de la tendresse.

— Nelly, j'aimerais vous revoir un jour... plus tard...

Elle détourna les yeux, craignant de montrer à nu toute sa détresse.

— Pourquoi me torturer ainsi ? Vous savez-bien que c'est impossible...

— J'espère tellement que vous changerez d'avis...

— Non. J'en ai assez de vos mensonges. Je sais maintenant que vous en aimez une autre, alors à quoi bon ?

Il eut alors une réaction qui la décontenança complètement : il éclata d'un rire joyeux, irrépressible. Plus il riait, plus le visage de Nelly se fermait. Enfin, elle n'y tint plus :

— Et, en plus, vous vous fichez de moi ! c'est complet !

Exaspérée, elle lui tourna le dos, jetant par-dessus son épaule un «*Ciao*», qu'elle voulut désinvolte, mais, en réalité, elle était crucifiée.

En deux enjambées, il la rattrapa, lui fit faire une volte-face, et lui baisa les lèvres. Alors, ce fut plus fort qu'elle : à toute volée, elle le gifla, et courut, sans se retourner, vers l'hôtel.

Le portier l'accueillit en souriant.

— *Buon giorno, signorina* !

— Bonjour... Je voudrais ma clé s'il vous plaît.

Elle se sentait incapable de dire un mot de plus, et n'avait qu'une envie : se réfugier dans la chambre.

Au premier coup d'œil, elle vit que ses affaires étaient là, bien en ordre. Sa disparition momentanée n'avait, apparemment, pas eu de conséquences fâcheuses. Elle s'assit au bord du lit, et resta un bon moment immobile, essayant de retrouver un peu de calme.

« Hélène arrive dans quelques heures ! » pensa-t-elle soudain.

Cette perspective mit un terme à son abattement. Elle décrocha le téléphone pour demander une communication avec l'aéroport de Palerme, car elle ignorait l'heure exacte de l'arrivée de l'avion. Quand elle eut obtenu son renseignement, elle raccrocha toute agitée.

— Vite ! Je n'ai pas de temps à perdre si je veux arriver à temps.

Après ces journées mémorables où elle avait vécu tant bien que mal, avec les moyens du bord, c'est-à-dire, pratiquement rien, elle n'était pas fâchée de retrouver tout son attirail de toilette.

Elle s'attarda dans la salle de bains, massant son

corps avec une crème. Sa peau, desséchée par l'eau de mer et le soleil, en avait bien besoin... Puis, elle se maquilla légèrement les yeux, les lèvres. Ses cheveux dorés, brossés vigoureusement, auréolaient son visage bronzé.

Satisfaite du résultat, elle extirpa de son sac de voyage une robe bain de soleil couleur pain brûlé qui mettait en valeur son hâle. Grâce à son tissu infroissable, elle constata avec plaisir qu'elle tombait impeccablement. Allons... elle ne se trouvait pas trop moche. De se voir ainsi transformée lui remonta le moral. Hélène allait la trouver en pleine forme !

Après avoir rassemblé ses bagages dans l'entrée, elle régla sa note. Elle était, désormais, libre comme l'air.

Elle retrouva sa voiture là où elle l'avait laissée, soigneusement fermée à clé. Dans le coffre, la caméra, les films, tout son matériel était bien là. Nelly regarda sa montre : il était temps de partir, car Palerme était loin.

Toute son attention captée par la conduite, elle n'eut pas le loisir de penser à autre chose, d'autant que circuler sur cette route, sinueuse et encombrée, était une véritable acrobatie. Du coin de l'œil, de temps à autre, elle surveillait l'heure... Avec un soupir de soulagement, elle parvint enfin en vue de l'aéroport de Punta Raisi, non loin de Palerme.

Dans la foule bigarrée des voyageurs qui s'écoulait lentement par la porte d'arrivée, Nelly repéra bientôt, au milieu des touristes au visage encore pâle, la silhouette menue qui lui était si familière.

Elle sautilla d'excitation en agitant la main. De loin, arborant un sourire d'une oreille à l'autre, Hélène lui répondit de même. Mais elles durent refréner leur impatience, car il fallait qu'Hélène ait franchi la douane avant qu'elles aient la possibilité de tomber dans les bras l'une de l'autre.

— Tu as fait bon voyage ?

— Oh ! excellent ! Mais, dis-moi... tu as une mine superbe !

— Tu auras la même dans quelques jours...

Nelly enveloppa d'un regard affectueux son amie. Comme à son habitude, elle avait le visage nu, sans trace de maquillage. Ses cheveux châtains étaient noués à la diable... Elle avait l'air si frêle dans son vieux jean effrangé qui la moulait étroitement que Nelly ne put s'empêcher de lui prendre la main.

— Je suis si heureuse que tu sois ici !

— Et moi donc ! Quel pays merveilleux... et ce soleil ! Dire qu'à Paris il pleuvait quand je suis partie... Tiens ! à propos, j'ai une lettre pour toi...

Hélène fouilla dans son sac. Elle mit un bon moment à retrouver ce qu'elle cherchait.

— Ah ! voilà...

A la vue de l'écriture de Chris, le visage de Nelly se rembrunit...

— Je ne veux pas la lire...

En disant ces mots, elle déchira l'enveloppe, qu'elle n'avait même pas ouverte, en petits morceaux.

Hélène la dévisageait, ébahie.

— Mais qu'est-ce qu'il te prend ? Il m'a téléphoné hier soir... Il savait que je venais te rejoindre, aussi il m'a dit qu'il m'apporterait une lettre pour toi avant mon départ... Il m'a recommandé au moins dix fois de ne pas oublier de te la donner... Je ne sais pas, mais ça avait l'air très important pour lui...

— Eh bien, pas pour moi, se borna à répondre Nelly, avec désinvolture.

— Toi alors ! Qu'est-ce que ça veut dire ? Je croyais que lui et toi...

— Oh ! je t'expliquerai. Je ne sais même pas moi-même très bien où j'en suis...

Tout en bavardant, elles avaient pris place dans la Fiat. Nelly tourna la clé de contact.

— Au fait, où veux-tu que nous allions ?

— Aucune idée... C'est toi mon guide. Après tout, tu dois connaître le pays maintenant...

Sans répondre, Nelly embraya. Quelques instants plus tard, la voiture filait en direction de Palerme.

Les faubourgs de la ville n'avaient rien de bien attrayant. Ce n'était qu'un enchevêtrement de vieux hangars, de maisons décrépites, de jardins potagers et de chantiers. Nelly avait du mal à se faufiler dans les rues, étroites et sombres, encombrées de véhicules et de piétons qui n'hésitaient pas à envahir la chaussée. Bientôt, elles arrivèrent en vue du port.

Une multitude de cafés et de restaurants faisaient face à la mer. Elles s'installèrent à une terrasse où il y avait déjà pas mal de monde. Hélène jeta un coup d'œil autour d'elle. Avec amusement, Nelly constata une fois de plus que rien n'échappait au regard vif de son amie.

Le port était un endroit particulièrement mouvementé. Des bateaux de toutes sortes entraient et sortaient, créant une animation permanente. Les barques de pêche, surtout, offraient un spectacle pittoresque avec leurs couleurs vives ou passées, décorées de motifs ornementaux les plus variés.

Hélène se boucha le nez d'un air comique :

— Quelle odeur !

Nelly acquiesça en riant. La chaleur renforçait, en effet, le fort parfum dégagé par un mélange d'air marin, de varech, de goudron, de peinture et de poisson. Certes, il ne fallait pas avoir ici la narine trop délicate...

Un serveur vint leur apporter deux glaces aux coloris

ravissants, pleines de petits grains de raisins secs, deux verres remplis du jus d'oranges fraîchement pressées accompagnés d'une carafe d'eau.

— Tu as déjà eu le temps de repérer les lieux pour le film ? demanda Hélène, en attaquant sa part de cassate.

— Hum... oui, enfin, un peu...

Hélène lui jeta un regard de biais.

— Je n'ai pas l'impression que tu aies été obsédée par le travail... Remarque, tu as eu raison de te reposer. Je te trouvais bien fatiguée, ces derniers temps, à Paris.

Nelly se dit en elle-même qu'en fait de repos, le début de ses vacances en Sicile avait été plutôt mouvementé...

— Qu'est-ce que tu as ?

— Mais rien... je t'assure !

— Si. Tu n'es pas comme d'habitude.

Décidément, on ne pouvait pas dissimuler grand-chose au regard d'un bleu limpide d'Hélène... Mais Nelly n'avait pas envie de raconter ce qu'elle venait de vivre. Du moins, pas encore. Pour détourner l'attention de son amie, elle lança d'une voix enjouée :

— Tu as vu toutes les guirlandes suspendues dans les rues ?

— Oui... c'est pour quelle raison ?

— C'est pour le *Festino*... une fête qui a lieu chaque année, en l'honneur de sainte Rosalie. Il y a des processions, des défilés avec un char très ancien qu'on ressort pour l'occasion, qui est traîné par des bœufs dans les rues de la ville. Le soir, il y a des feux d'artifice...

— Ce doit être joli... Ça ferait une bonne séquence pour le film, non ?

Elles entamèrent alors une longue discussion au sujet du documentaire. Elles échangeaient leurs arguments avec passion :

— Non, je ne veux pas que ce film ressemble à un dépliant touristique ! disait Nelly.

— D'accord, mais le folklore fait aussi partie du patrimoine sicilien, que je sache...

Elles se heurtaient pour la forme, parce que, fondamentalement, elles avaient la même façon de voir les choses. Hélène possédait un côté réaliste qui tempérait un peu le caractère fantasque et imaginatif de Nelly.

Un long moment avait dû s'écouler, parce qu'elles s'avisèrent tout à coup que le serveur rôdait autour d'elles avec un regard insistant. Elles échangèrent un clin d'œil complice :

— Il doit trouver qu'on occupe la place un peu trop longtemps...

Après avoir payé, elles se promenèrent à travers les rues, s'émerveillant du spectacle coloré des étals débordants de marchandises, du grouillement de cette foule méditerranéenne, bruyante et démonstrative.

— Il faudrait passer ici des jours et des jours pour épuiser toutes les richesses de cette ville, dit Hélène d'une voix plaintive.

— Et que dire du reste de la Sicile, fit Nelly, en écho.

— Est-ce qu'au moins tu sais où nous allons passer la nuit ?

— Non !

Elles éclatèrent de rire. Leurs équipées étaient toujours placées sous le signe de l'imprévu.

Après avoir consulté la carte, elles décidèrent, d'un commun accord, de se rendre dans un village de pêcheurs, à quelques kilomètres de là.

La petite localité de Sferracavallo nichée au fond d'une baie entourée par les montagnes les enthousiasma.

— Formidable ! s'exclama Hélène. Oh ! que je suis contente, dit-elle en se serrant contre Nelly.

Elles firent le tour de tous les hôtels. Hélas, ceux-ci

affichaient tous « complet ». Un peu désappointées, elles finirent pas trouver refuge dans une petite auberge qui ne payait pas de mine, mais dont les patrons avaient l'air accueillants.

— Bah ! Ce sera bien suffisant pour passer la nuit, décréta Nelly qui commençait à être fatiguée.

Comme elles n'avaient pas très faim, elles firent l'emplette de quelques tomates, de pêches, d'un peu de fromage et de pain, dans une échoppe mal éclairée, où trônait une matrone imposante. Hélène dénicha derrière un cageot de *brocolis* une bouteille de vin qu'elle brandit :

— Du Marsala ! Allons, ne nous refusons rien !

La bonne humeur communicative de son amie faisait du bien à Nelly. Grâce à elle, elle avait réussi à chasser, pour un temps, ses pensées moroses.

Où aller, à présent ? Ni l'une ni l'autre n'avaient envie de regagner l'auberge.

— Allons vers la mer, décida Nelly.

Elles descendirent le long d'une ruelle qui aboutissait au port. De là, partait un sentier qui les mena à une plage que les baigneurs avaient déjà désertée. La nuit, en effet, n'allait pas tarder à tomber, et, déjà, le disque blanc de la lune montait dans le ciel bleu foncé que commençaient à piqueter les étoiles. Toutes deux se déchaussèrent, et foulèrent de leurs pieds nus le sable encore tiède. Hélène, au bout d'un moment finit par se laisser tomber par terre.

— J'en ai assez de marcher. On est très bien ici...

Elle s'allongea dans le sable et mit ses mains sous la tête.

— C'est drôle... je n'imaginais pas la Sicile comme ça... Je croyais que c'était beaucoup plus sauvage.

— C'est, sans doute, beaucoup plus vrai à l'intérieur. Mais, tu sais, il y a encore des coins au bord de la mer complètement déserts.

Nelly songea à la petite crique si bien protégée où elle avait rencontré Aldo le premier jour. Comme si elle avait pu lire dans ses pensées, Hélène lui demanda à l'improviste :

— Tu n'as tout de même pas passé ton temps à te baigner en solitaire depuis que tu es ici ?

— Pourquoi dis-tu ça ?

— Je ne sais pas, mais je te trouve bizarre, pas comme d'habitude...

Elle se redressa. S'appuyant sur son coude, elle dévisagea Nelly, la mine sérieuse.

— Dis-moi la vérité : qu'est-ce que tu as ?

Les réticences de Nelly vacillèrent. Au fond d'elle-même, elle ressentait le besoin irrésistible de se confier à son amie. D'une voix soudain moins ferme, elle dit :

— Si je te disais tout ce qui m'est arrivé, tu ne me croirais pas...

— Mais si, je t'assure ! Quelque chose de grave ?

Sans plus se faire prier, Nelly entreprit de lui raconter, dans les moindres détails, les péripéties qu'elle venait de vivre. Captivée par son récit, pas une fois Hélène ne l'interrompit.

— J'aurais dû te parler plus tôt, conclut Nelly, mais je ne savais pas par quel bout commencer. C'est une histoire si compliquée, si invraisemblable... J'avais peur que tu ne me comprennes pas.

Pour toute réponse, Hélène lui planta un baiser sur la joue.

— Ne sois pas stupide ! Je vois bien que tu es très malheureuse. Et maintenant, que comptes-tu faire ?

— Oh ! fit Nelly, avec un geste évasif, je n'en sais rien...

Hélène fronça les sourcils.

— Mais ce type, il a agi comme un vrai salaud ? Tu t'en rends bien compte tout de même ?

— Oui... C'est bien pour ça que je suis déprimée... Je le voyais sous un autre jour. Tu ne peux pas savoir comme il est séduisant!

Hélène ricana :

— Tu parles! Qu'est-ce qui te dit qu'il n'est pas... je ne sais pas, moi... un proxénète. Mais oui, peut-être vit-il d'un trafic de femmes...

Nelly ouvrit de grands yeux, ébahie.

— Oh! Ce n'est pas possible!

— Il en a toutes les apparences en tout cas. Tu peux dire que tu as eu de la chance de t'en tirer comme ça...

Nelly murmura :

— C'est bien ça que je n'arrive pas à comprendre. Pourquoi a-t-il changé d'avis si brusquement?

— Il a peut-être eu peur...

Elles restèrent quelques secondes en silence. Hélène sortit du sac en papier une tomate qu'elle tendit à Nelly.

— Tiens... il ne faut pas que tout ça nous coupe l'appétit.

Nelly n'avait pas faim. Cependant, elle la prit et la porta à ses lèvres, tout en fixant sans le voir un point lumineux, au loin. Visiblement, elle avait l'esprit ailleurs :

— Si tu veux mon avis, continua Hélène la bouche pleine, il n'y a qu'une chose à faire...

— Quoi?

— Prévenir la police!

Nelly y avait déjà pensé, mais quelque chose en elle répugnait à une telle démarche. Elle essaya de protester :

— Après tout, il ne m'a pas maltraitée, au contraire...

— Et l'autre? La prisonnière?

Nelly resta coite. Évidemment, elle ne pouvait rien

opposer à cet argument. Une idée, soudain, traversa l'esprit d'Hélène.

— La Mafia ! Comment n'y avons-nous pas songé plus tôt ?

— Que veux-tu dire par là ?

— Mais oui, tu sais bien qu'ici cette organisation secrète a des ramifications partout... Cela expliquerait tous ces mystères... Il ne pouvait évidemment pas t'en parler parce qu'il devait se sentir surveillé...

— Tu crois vraiment ?

— Je n'en sais rien. Mais avoue que ce serait une explication qui en vaudrait bien une autre !

Tout en disant cela, Hélène but une gorgée de vin au goulot de la bouteille qu'elle passa ensuite à Nelly.

— Bois un peu, ça va te remonter le moral...

Un beau clair de lune baignait le paysage. Elles se taisaient, écoutant le clapotis apaisant que faisait la mer toute proche. Hélène détailla la silhouette de son amie. Grande et élancée, elle était sans nul doute attirante. D'ailleurs, Hélène en était témoin, nombre d'hommes tournaient autour d'elle, séduits par son naturel et sa spontanéité autant que par son intelligence. Dans quel guêpier s'était-elle fourrée ? Car il était clair qu'elle était terriblement éprise de cet Italien pour le moins étrange...

Nelly dénoua le pull qu'elle portait négligemment sur ses épaules et l'enfila. Il commençait à faire frais...

— Je crois que je vais rentrer, j'ai envie de me coucher. Pas toi ? Ton voyage a dû te fatiguer, non ?

— Un peu... Entendu ! On rentre. Mais pas avant que tu me promettes quelque chose...

— Quoi donc ?

— Dès demain, tu vas tout raconter à la police !

Elle sentit que Nelly hésitait. Puis, d'une voix incertaine, celle-ci finit par dire :

— Tu as peut-être raison...

CHAPITRE X

LES paroles d'Hélène résonnaient à ses oreilles quand Nelly se réveilla. A côté d'elle, dans le lit voisin, son amie dormait encore. Le visage enfoui dans l'oreiller. « Un vrai sommeil d'enfant... » songea Nelly avec attendrissement.

En ce qui la concernait, elle était bien trop agitée pour avoir envie de paresser au lit. Le soulagement qu'elle avait éprouvé d'abord en se confiant à Hélène, avait fait place à un malaise grandissant. Elle retournait dans sa tête toutes les hypothèses qu'elles avaient échafaudées la veille pour trouver une explication au comportement d'Aldo... la perspective d'avoir à le dénoncer la troublait au plus haut point. Mais elle avait beau chercher, elle ne voyait pas d'autre solution. Hélas, Hélène, avec son bon sens coutumier avait sûrement raison. Elle en était à ce point de ses réflexions, quand celle-ci se retourna et entrouvit un œil.

— Il y a longtemps que tu es réveillée ? fit-elle en bâillant. Quel temps fait-il ?

— Sûrement splendide, comme d'habitude. Dépêche-toi de te lever si tu veux te baigner avant que la plage soit surpeuplée...

Hélène bougonna :

— C'est les vacances, non ? Pourquoi se presser...

Mais Nelly était déjà debout, enfilant un pantalon de toile écrue par-dessus son maillot. Elle était si tendue, les nerfs à fleur de peau, qu'elle préférait se taire. Une dispute entre elles n'aurait rien arrangé, au contraire.

Intérieurement, elle rageait de voir Hélène aussi calme. Sa mauvaise humeur devait être perceptible, car celle-ci, rejetant ses draps, se décida elle aussi à s'habiller.

Un peu plus tard, ayant avalé en vitesse leur petit déjeuner servi sur une nappe douteuse dans la salle commune, elles coururent se plonger dans l'eau transparente et fraîche.

A cette heure matinale, il n'y avait qu'elles sur la plage qui retentit bientôt de leurs éclats de rire, tandis qu'elles se poursuivaient en s'éclaboussant... Au bout d'un moment, haletantes, elles se laissèrent tomber sur le sable...

— C'est merveilleux... l'eau est si bonne ! soupira Hélène.

— C'est vrai... chaque fois, j'éprouve le même plaisir que lorsque j'étais enfant et que j'allais l'été au bord de la mer...

— Tu as l'air de meilleure humeur que tout à l'heure...

— Pourquoi ? Ça se voyait ? dit Nelly, feignant l'étonnement.

— Comme le nez au milieu de la figure... Remarque, je comprends que tu sois émotive et nerveuse en ce moment. Mais je me demande quand tu apprendras à être moins vulnérable...

— Je ne pense pas que l'on parvienne à modifier tout à fait la nature... sans doute, ne suis-je pas faite pour le bonheur...

— Taratata... fit Hélène, en lui passant affectueusement la main dans les cheveux. Avec le physique que tu as, ça m'étonnerait. Tu le rencontreras peut-être plus tôt que tu ne le penses!

La matinée touchait à sa fin. Une brume légère flottait à l'horizon dans l'air déjà chaud. Matelas et parasols bariolés avaient peu à peu parsemé la plage, à présent encombrée de baigneurs. Tout en lissant ses cheveux épars sur ses épaules, Hélène dit :

— Il y a trop de monde, maintenant, je crois que c'est le moment d'y aller...

Nelly fit semblant de ne pas comprendre.

— Où ça ?

— Ne fais pas l'idiote... Tu sais très bien ce que je veux dire. Tu n'as pas changé d'avis au moins ?

Nelly secoua négativement la tête, sans répondre.

— Alors dépêchons-nous, il n'y a pas de temps à perdre.

Leurs maillots étaient secs. Elles se rhabillèrent en silence, en se jetant des regards à la dérobée. Elles étaient très différentes : moins jolie que Nelly, Hélène avait cependant un charme indiscutable avec ses yeux bleus étirés vers les tempes, dans un visage triangulaire. « Un chat... », pensa Nelly fugitivement... Son amie avait, d'ailleurs, une grâce féline dans ses gestes, qui compensait ses allures un peu garçonnières...

Parvenues à la voiture, elles eurent une discussion pour savoir à quelle brigade de police il convenait de s'adresser. Dans l'incertitude, elles décidèrent que le mieux était encore de se rendre à Palerme, puisque c'était la capitale de la région.

Elles refirent en sens inverse le trajet de la veille. Nelly avait, d'un geste machinal, allumé la radio, ce qui les dispensa de parler. La conduite de Nelly trahissait son énervement. A la traversée d'un village, la voiture faillit écraser une poule épouvantée qui s'enfuit en caquetant. Hélène la surveillait du coin de l'œil, un peu inquiète.

— Eh ! Attention... Je n'ai pas envie de terminer mon séjour à l'hôpital !

Pour toute réponse, Nelly donna un petit coup d'accélérateur supplémentaire. Hélène serra les dents, résolue à ne plus faire la moindre remarque.

Elles durent demander leur chemin à plusieurs reprises, avant de parvenir enfin devant la façade austère du commissariat de police central. Indifférentes au sifflement admiratif d'un carabinier en uniforme qui était en faction, elles s'engouffrèrent sous le porche. Après avoir gravi un monumental escalier de pierre, elles poussèrent timidement une porte... Il y avait là plusieurs carabiniers, d'autres personnes en civil, dont une grosse femme en noir qui poussait des glapissements véhéments que personne n'arrivait à calmer.

Ni les uns ni les autres ne parurent remarquer la présence des deux jeunes filles. Le premier moment d'hésitation passé, Hélène avisa un carabinier, vautré plutôt qu'assis sur une chaise, occupé à se curer les ongles. Elle s'approcha de lui d'un pas décidé.

— Vous parlez français ?

Il leva la tête, surpris, et dit quelque chose qu'elles ne comprirent pas.

— Y-a-t-il quelqu'un qui parle français ici ? répéta Hélène à la cantonade.

A regret, il se leva, et, en traînant les pieds, il disparut dans la pièce à côté. Au bout de quelques instants, il revint, accompagné d'un gros homme au teint olivâtre, à moitié chauve, qui fumait un cigare malodorant. Sans même prendre la peine de le retirer de sa bouche, avec l'air de quelqu'un qu'on dérange, il interrogea, en haussant les sourcils :

— Vous êtes Françaises ? C'est à quel sujet ?

Son accent et son cigare rendaient difficilement compréhensible ce qu'il disait. Hélène et Nelly se regardèrent, sentant poindre un fou rire avec panique. Nelly se racla la gorge :

— Voilà, c'est pour une affaire très importante...

Mais ça n'avait pas l'air d'émouvoir leur interlocuteur qui continuait à leur souffler au visage la fumée de son cigare, sans mot dire.

Nelly reprit, après avoir jeté un coup d'œil autour d'elle.

— C'est difficile à expliquer comme ça...

— Nous voudrions voir votre chef, coupa Hélène.

— Le chef, c'est moi... enfin, presque...

— Pourrions-nous vous voir... seul ?

Il les toisa de haut en bas avec un sourire ambigu. Puis, se décidant enfin à ôter son cigare, il leur fit signe de le suivre. Elles durent contourner une sorte de guichet, avant de franchir la porte d'une minuscule pièce toute enfumée. Il s'assit derrière un bureau encombré de paperasses, tandis qu'elles prenaient place sur deux chaises en face de lui. Se carrant confortablement dans son fauteuil, il étendit ses courtes jambes.

— Maintenant que nous sommes tranquilles, je vous écoute...

Devant ce visage adipeux qui l'observait les yeux mi-clos, prise de répulsion, Nelly se demanda si elle n'allait pas battre en retraite. Mais il était trop tard... Alors, à contre-cœur, elle raconta, aussi brièvement qu'elle le put, son aventure. Le policier l'écouta jusqu'au bout, sans l'interrompre. Il resta un moment pensif, comme s'il méditait ce qu'elle venait de dire.

— Comment s'appelle cet homme ? énonça-t-il enfin.

— Je ne connais que son prénom : Aldo...

— Hum... c'est un prénom très courant en Italie, vous savez...

— Sa voiture est immatriculée à Rome... Ah ! et il dit aussi qu'il est un ami du marquis de Balduzzi...

De surprise, le gros homme faillit avaler son cigare.

— Le marquis de Balduzzi ? Vous êtes sûre qu'il a bien prononcé ce nom ?

— Mais oui, absolument.

— C'est une personnalité éminente, ici, à Palerme... un savant très connu... Une très vieille famille de l'aristocratie sicilienne...

Interloquées, les deux filles restaient coites. Il écrasa son cigare dans un cendrier, les sourcils froncés. Après quelques instants de silence pendant lesquels il sembla digérer ces révélations, il laissa tomber, d'une voix faussement doucereuse :

— Mes petites demoiselles, si j'ai un conseil à vous donner, c'est de renoncer à porter plainte, cela vaudra mieux pour tout le monde...

Nelly se rebiffa :

— Et pourquoi donc, s'il vous plaît ?

— Parce que vous faites fausse route...

— Mais il y a des faits... personne ne peut les nier. Il y a là-bas une jeune fille séquestrée... moi-même, j'ai été surveillée, épiée, retenue contre mon gré... je n'invente rien !

Il la scruta, une lueur de méchanceté dansant dans ses petits yeux, semblables à des olives noires. Brutalement, leur dialogue prit une tournure imprévue.

— Avez-vous vos passeports ?

— Oui, mais...

— Donnez-les-moi !

Le ton était sans réplique. Après avoir échangé un regard courroucé, elles finirent par extirper de leur sac les documents demandés. Il les feuilleta en prenant son temps, comme s'il apprenait chaque mot par cœur. Puis, il repoussa son fauteuil, et se leva.

— Un moment... je reviens.

Restées seules, elles se regardèrent avec inquiétude : il avait disparu en emportant leur passeport. Non seulement il avait l'air de n'accorder aucun crédit à ce que Nelly avait raconté, mais, en plus, elles se retrouvaient toutes les deux sur la sellette !

— J'aurais mieux fait de ne pas t'écouter ! fit Nelly avec reproche.

— Écoute... S'il le faut, nous irons voir ce marquis de Balduzzi...

— Quoi ? Mais, décidément, tu es complètement folle !

— Qu'est-ce qu'on risque ? On apprendra peut-être enfin qui est Aldo... D'ailleurs, il ne sait sûrement pas quel trafic se passe chez lui, et il nous remerciera de l'avoir prévenu...

Nelly se tut. Sa nervosité grandissait au fur et à mesure que le temps passait.

— Mais qu'est-ce qu'il est parti faire ? Ça fait au moins un quart d'heure...

Hélène haussa les épaules en signe d'ignorance. Elle aussi s'impatientait, roulant et déroulant autour de son doigt une mèche de cheveux... Un pas pesant se fit entendre. Elles poussèrent toutes les deux en même temps un soupir de soulagement quand le policier revient dans la pièce. Il paraissait plus détendu. Avec jovialité, il dit :

— Tenez... reprenez vos papiers. J'ai fait les vérifications nécessaires... tout est en ordre. Il ne me reste plus qu'à vous souhaiter un bon séjour ici...

— Mais nous sommes venues...

— N'ayez aucune inquiétude. Vos craintes n'ont aucun fondement...

— Ainsi, vous persistez à ne pas nous croire! fit Hélène en colère, c'est du joli!

— Le seul conseil que je peux vous donner, c'est d'abandonner toute tentative contre cet homme! Ce serait absolument inutile...

— Ce n'est pas possible! cria Hélène, hors d'elle. Pour qu'il bénéficie d'autant de protections, il doit faire sûrement partie de la Mafia!

A ces mots, le policier partit d'un éclat de rire tonitruant, qui fit trembler son gros ventre. Apparemment, il n'avait jamais entendu quelque chose d'aussi drôle... Sans comprendre cet accès d'hilarité, Hélène et Nelly se regardaient, dépitées.

Il les raccompagna jusqu'à la porte. Puis, ayant retrouvé son sérieux, il fit une petite courbette

— Mesdemoiselles... j'ai été enchanté...

Elles ne prirent même pas la peine de répondre, et, lui tournant le dos, elles s'en allèrent...

Dans la rue baignée de soleil, Nelly explosa:

— C'est trop fort! Il s'est joliment moqué de nous, ce gros poussah!

— A mon avis, ton Aldo bénéficie de protections plutôt louches...

— D'abord, répliqua Nelly furieuse, ce n'est pas «mon» Aldo, que je sache! Ensuite... on ne peut vraiment pas en rester là.

— Alors, que fait-on? s'enquit Hélène, d'un air faussement détaché.

Nelly, que l'attitude du policier avait exaspérée, était maintenant aussi résolue qu'Hélène à aller jusqu'au bout. Aussi elle se borna à répondre:

— Allons chez le marquis... Puisqu'il habite Palerme, nous trouverons bien son adresse dans un bureau de poste.

Hélène lui sourit, heureuse de sentir que, cette

fois, Nelly réagissait exactement comme elle...

— B...Ba... Balduzzi! Ça y est, je l'ai trouvé! Un gros annuaire ouvert devant elle, Nelly pointait avec son index une ligne aux caractères minuscules. Satisfaite, elle le referma non sans avoir pris soin de recopier soigneusement l'adresse sur une feuille de son agenda.

Munies d'un plan, elles n'eurent pas de peine à trouver la demeure du marquis, située sur la hauteur, un peu en dehors de la ville. De là, la vue sur les montagnes environnantes qui plongeaient jusque dans la mer d'un bleu profond était superbe.

Avant de sortir de la voiture, Nelly s'examina dans une glace de poche et mit simplement une petite touche de brillant sur ses lèvres.

Hélène lui demanda ironiquement :

— C'est pour le marquis que tu te fais belle ?

— Ce que tu peux être sotte! Au lieu de dire des bêtises, tu ferais mieux de te donner un coup de peigne.

Comme à l'accoutumée, des mèches folles s'échappaient en effet du foulard qu'Hélène avait noué sur sa tête.

— Oh! quelle importance!... Mais elle obtempéra.

Tout en rentrant son tee-shirt dans la ceinture de son pantalon, Nelly avala sa salive: elle avait la gorge sèche.

Elle se sentait terriblement impressionnée par les élégantes grilles en fer forgé qui donnaient accès au grand parc au fond duquel on apercevait une villa aux proportions imposantes. Elle détailla la façade dont les volets étaient à demi fermés, probablement à cause de la chaleur. Celle-ci était harmonieusement ceinte de deux arcades. Un couple de lions de pierre montait la garde de chaque côté du perron... A cet instant précis, Nelly aurait donné cher pour rebrousser chemin. Mais Hélène la poussa du coude :

— Qu'est-ce que tu attends ? Allez... sonne !

D'un doigt mal assuré, Nelly appuya sur le bouton de la sonnette. Quelques interminables secondes s'écoulèrent. Là-bas, la porte au-dessus du perron s'ouvrit, et elles virent s'avancer un serviteur en livrée. Toutes deux avaient le cœur battant à tout rompre.

— Le marquis de Balduzzi est-il là ? demanda Nelly, plus morte que vive.

Le serviteur dévisagea les deux jeunes filles avec étonnement. Nelly répéta sa question en italien. Il répondit dans la même langue :

— Qui dois-je annoncer ?

Elles se regardèrent, déconcertées.

— Attendez... fit Nelly. Fouillant dans son sac, elle sortit de son portefeuille une carte de visite qu'elle lui tendit.

Il la prit sans mot dire, et tourna les talons en leur faisant signe d'attendre. Il réapparut après un moment qui leur parut une éternité, et leur ouvrit toute grande la grille. Elles traversèrent le parc planté d'arbres aux essences les plus variées, dont la plupart étaient certainement centenaires, sans même y prêter attention. En réalité, elles étaient terrifiées de leur audace.

Le valet se retira après les avoir introduites dans un immense salon dont les murs, ornés de glaces, répétaient leur image à l'infini. De somptueux tapis persans recouvraient en partie le parquet au dessin compliqué, étouffant le bruit de leurs pas.

Surmontant son malaise, Hélène essaya de gouailler :

— Des endroits comme ça, on n'en voit que dans des films... Tiens, c'est une idée pour ton documentaire... Tu imagines : une demeure patricienne... et avec l'interview du maître de céans, par-dessus le marché! Tu ne trouves pas que ce serait formidable?

Avant que Nelly ait pu répondre, une porte s'ouvrit. Sur le seuil, se tenait, immobile, un homme de haute taille, à l'opulente chevelure blanche. Sous ses sourcils noirs et fournis, son regard était perçant. Aucun doute: c'était le marquis de Balduzzi...

Nelly sentit que son amie était soudain paralysée de timidité. Pourtant, il fallait absolument dire quelque chose. S'avançant vers le vieil homme, elle le salua. Puis elle dit:

— Nous venons de France, mon amie et moi, et nous séjournons depuis quelques jours en Sicile. Veuillez nous excuser de notre visite impromptue, mais nous avons quelque chose d'important à vous dire...

— Ainsi, vous êtes Françaises? Soyez les bienvenues...

Il semblait avoir quelque difficulté à marcher. Avec courtoisie, il leur indiqua, d'un geste, qu'elles pouvaient s'asseoir.

— J'aime beaucoup la France... J'y ai poursuivi des études, il y a bien longtemps, ajouta-t-il avec un sourire bienveillant.

Hélène et Nelly se regardèrent, éperdues, ne sachant vraiment pas comment aborder le véritable motif de leur visite. Voyant leur embarras, le marquis reprit la parole:

— Voyons... je ne pense pas que ce soit dans le but de parler de votre beau pays que vous êtes venues me voir... Alors, que puis-je pour vous?

Prenant son courage à deux mains, Nelly se jeta à l'eau.

— Voilà... nous devons effectuer un reportage sur la Sicile, ce qui vous explique notre présence... mais, enfin... ce n'est pas cela le but de notre visite... Je... je voudrais savoir qui est Aldo?

— Aldo ? Mais Aldo qui ?

— Heu... eh, bien, justement j'ignore son nom... tout ce que je sais c'est qu'il vit dans une île, qui vous appartient paraît-il... il dit que vous lui avez prêté votre maison.

Le vieil aristocrate, dont le visage s'était éclairé, s'exclama :

— Oh ! Aldo... Vraiment vous connaissez Aldo ? Mais comment se fait-il ?

Nelly rougit violemment.

— Je l'ai rencontré par hasard... nous avons sympathisé. Mais par la suite, j'ai eu l'impression qu'il se passait des choses mystérieuses dans cette île...

Il fronça les sourcils :

— Quel genre de choses ?

— Eh bien, je crois savoir qu'il y a là-bas une jeune fille qui... que...

Devant l'expression sévère de son hôte, elle n'osa pas poursuivre.

— Qu'il retient prisonnière ! acheva Hélène.

Contrairement à toute attente, le marquis ne se montra pas autrement surpris par cette révélation pourtant de taille. Il réfléchit un moment, passant sa main fine dans ses cheveux.

— Écoutez... la famille d'Aldo, qui appartient à la meilleure aristocratie romaine, est liée par d'étroites relations d'amitié avec la mienne depuis fort longtemps. Je lui ai, en effet, offert l'hospitalité, et, à ce titre, je n'ai à me mêler en rien de ses affaires. Tout ce que je puis vous dire c'est qu'il est un homme d'honneur, au cœur noble. Par conséquent, je dénie à quiconque le droit de mettre en doute ses actes. Ce qu'il fait ne regarde que lui, et je suis certain qu'il ne peut mal agir.

Nelly était atterrée. De quoi avait-elle l'air, à présent ? Il avait suffi de ces quelques paroles pour que s'écroulent leurs certitudes. Dans ces conditions, comment poursuivre une conversation aussi mal engagée ? Décidément, il s'avérait que la personne d'Aldo était intouchable... Elle se reprocha amèrement d'avoir suivi les conseils d'Hélène, habituellement mieux inspirée.

— Excusez-moi de ma démarche qui doit vous paraître d'une singulière incorrection. Je ne pensais pas que...

Levant la main d'un geste las, il l'interrompit, et prononça d'une façon énigmatique :

— Il faut se garder de juger les êtres sur les apparences...

Il se redressa péniblement, en prenant appui sur son fauteuil, leur signifiant ainsi que la discussion était close.

Après les avoir raccompagnées à la porte, tout en s'inclinant légèrement, il leur tendit une main distante :

— Adieu, mesdemoiselles...

Le serviteur, surgi mystérieusement, les conduisit jusqu'à la grille qu'il entrouvrit pour leur laisser le passage, et qu'il referma aussitôt.

Nelly se laissa tomber sur le siège de la voiture.

— J'ai bien cru que j'allais mourir de honte ! On ne pouvait mieux nous faire sentir qu'on mettait les pieds dans le plat ! C'est de ta faute, aussi...

— Comment ça ? J'ai simplement voulu t'aider ! Si j'avais su...

— Bon, n'en parlons plus. J'en ai par-dessus la tête de toute cette histoire !

— Écoute, on ne va pas se fâcher maintenant. A quoi ça sert ? Oublie tout cela, c'est ce qui reste de mieux à faire.

Elle posa sa main sur le bras de Nelly, en geste d'apaisement, mais elle s'aperçut que celle-ci avait les yeux pleins de larmes. Avec douceur, elle murmura :

— Tu l'aimes donc tant que ça ?
— Je le hais ! Toute cette humiliation à cause de lui !
Nelly essuya furtivement ses yeux, furieuse de sa faiblesse. Prenant une profonde inspiration, elle tourna la clé de contact. Tandis que la voiture redescendait la longue avenue sinueuse, une décision mûrissait en elle : elle ne reparlerait plus jamais d'Aldo. Ce serait comme s'il n'avait jamais existé.

CHAPITRE XI

L'ŒIL collé à la caméra, Nelly reculait lentement. Dans l'objectif, elle vit la tête de son interlocuteur, d'abord en gros plan, puis de plus en plus petite, tandis qu'apparaissaient ses épaules, son corps, et derrière lui, la balustrade de la terrasse. Quand la silhouette trapue de l'homme se découpa tout entière sur le ciel, elle continua à filmer quelques instants. Puis, elle stoppa le ronronnement de la caméra, qu'elle déposa avec précaution sur une table placée près d'elle.

L'homme retira sa pipe de la bouche, et sourit :

— Ça va ?

— Oui. c'est très bon. Votre interview était vraiment passionnante. Grâce à vous, je pense que tous les téléspectateurs qui verront ce film comprendront et aimeront plus encore la Sicile. N'est-ce pas Hélène ?

Occupée à manipuler les boutons d'un gros magnétophone, celle-ci approuva silencieusement.

Trois semaines s'étaient écoulées depuis cette mémorable journée à Palerme, qui s'était soldée par deux cuisantes déconvenues. Trois semaines pendant lesquelles les deux jeunes filles s'étaient mises au travail, sillonnant la région en tout sens, multipliant les prises de vues et les interviews. Plus jamais elles n'avaient évoqué, entre elles, le nom d'Aldo... même pendant les quelques jours de vraies vacances qu'elles s'étaient octroyés, ou pendant leurs soirées en tête à tête. A vrai dire, depuis qu'elles avaient eu la chance de rencontrer par hasard, lors d'une exposition, Massimo Giuliano, un écrivain sicilien en renom, elles n'avaient guère eu le temps de se laisser aller à leurs confidences habituelles. Avec beaucoup de gentillesse, celui-ci les avait, en effet, considérablement aidées par sa présence, en les conseillant, en leur facilitant les contacts, et même en leur servant, à l'occasion, d'interprète. En venant l'interviewer chez lui, elles venaient, d'ailleurs, ce jour-là, de mettre un point final à leur reportage.

Comme elles allaient s'apprêter à prendre congé, il s'avança vers elles avec un bon sourire.

— J'ai été heureux de collaborer à votre travail. Mais nous n'allons pas nous quitter comme cela ! J'aimerais vous offrir un verre...

Elles acceptèrent avec enthousiasme sa proposition, toutes heureuses de pouvoir enfin savourer une détente bien méritée.

Restées seules, accoudées à la balustrade, elles contemplaient avec des yeux émerveillés le ravissant panorama de ce petit port de pêche, dont les maisons blanches dégringolaient jusqu'au bord de l'eau.

— A la perspective de rentrer à Paris, j'ai déjà le cafard... murmura Hélène.

— Moi aussi... répondit Nelly, en écho. Mais dans son for intérieur, elle savait bien que la tristesse qu'elle s'efforçait de dissimuler était d'un tout autre ordre.

Elles se retournèrent en entendant un bruit de voix. C'était Massimo qui revenait, accompagné de son épouse portant un plateau chargé de rafraîchissements.

Nelly et son amie avaient déjà fait la connaissance de Léa, cette jeune femme brune d'une trentaine d'années, dont le doux visage un peu nostalgique les avait immédiatement séduites.

Nelly, l'eau à la bouche, la regarda verser dans les verres un Américano bien frais, auquel elle ajouta une rondelle de citron et des glaçons. Tout le monde avait pris place sur des chaises longues.

— Ainsi, vous allez nous quitter ? dit Léa, de sa voix chantante. C'est vraiment dommage... Je suis sûre qu'il y a encore beaucoup d'endroits que vous ne connaissez pas !

— Oh ! mais j'ai bien l'intention de revenir ! s'écria Hélène. Et, cette fois, ce sera pour de vraies vacances !

— Et vous, Nelly ?

— Moi ? Je ne sais pas...

— Vous n'avez pas l'air emballée... quelque chose vous a déçue ?

— Nelly est un peu fatiguée, je crois, interrompit Massimo, qui avait dû sentir son trouble.

Il consulta brièvement sa femme du regard, et poursuivit :

— Nous aimerions, Léa et moi, que vous veniez toutes les deux à une soirée que nous donnons demain soir pour quelques amis. Nous voudrions que ce soit une véritable fête, afin que votre séjour se termine en beauté... vous acceptez, n'est-ce pas ?

Malgré sa morosité, Nelly n'eut pas le cœur de décevoir l'attente d'hôtes aussi charmants, d'autant qu'elle sentait bien qu'Hélène lui en aurait terriblement voulu. Aussi répondit-elle avec élan :

— Avec grand plaisir ! C'est si gentil de votre part...

— Et quel beau souvenir ça nous fera ! renchérit Hélène.

Tandis que celle-ci continuait à bavarder avec Léa et Massimo, Nelly inclina sa tête sur son épaule, les observant tous les trois derrière ses lunettes de soleil qui la protégeaient de l'intense réverbération des murs blanchis à la chaux. Le visage un peu empâté de Massimo contrastait avec la finesse et la mobilité des traits de Léa, mais tous deux avaient la même chaleur dans le regard. Elle les connaissait depuis peu, mais elle se sentait attirée vers eux par une irrésistible sympathie.

Hélène, très à l'aise, parlait avec animation. Nelly la trouva embellie : dans son visage hâlé, ses yeux limpides paraissaient encore plus clairs. Nelly envia le bonheur de vivre qui émanait de toute sa personne. « Comment fait-elle pour que rien, jamais, n'altère sa bonne humeur ? », se demanda-t-elle.

— Je crois que notre amie Nelly s'est endormie... chut ! ne parlons pas trop fort...

La voix de Léa tira Nelly de sa léthargie.

— Mais non, dit-elle en souriant, je vous écoutais simplement.

Il y eut un éclat de rire général qui força Nelly à participer à la conversation.

Quand le soleil commença à décliner à l'horizon, Léa proposa, à la cantonade :

— Si nous allions nous baigner ?

Les autres approuvèrent aussitôt. C'était l'heure idéale : au couchant, quand la chaleur est tombée et que l'eau est encore tiède.

Hélène et Nelly allèrent chercher leurs maillots dans la voiture. Elles avaient pris l'habitude de les laisser sur le siège arrière. Elles profitaient ainsi de la moindre occasion offerte pour se plonger dans l'eau.

Gaiement, tous les quatre descendirent sur les rochers, jusqu'à une petite anse de sable blanc, où chacun se choisit un abri pour se dévêtir.

Chaque fois que Nelly pénétrait dans l'eau, elle éprouvait la même volupté. Piquant un crawl impeccable, elle les distança bientôt. Elle adorait cette sensation de partir droit devant elle dans l'infinie solitude de la mer. Elle nagea longtemps, jusqu'à ce que son souffle commençât à lui manquer. Alors, elle se retourna et resta immobile, la face tournée vers le ciel, bougeant de temps à autre imperceptiblement ses bras et ses jambes pour rester en équilibre. De la plage, lui parvenaient des éclats de rire... Elle se sentait divinement bien, toute la pesanteur de son corps disparue.

— Nel... ly ! Nel... ly ! reviens !

C'était la voix d'Hélène. Nelly y décela de l'inquiétude. A regret, elle se décida à revenir, frappant l'eau en cadence, avec des battements réguliers.

Allongés sur le sable, tous les trois la regardaient revenir vers eux. Des milliers de gouttes d'eau ruisselaient sur sa peau bronzée. Avec ses cheveux dorés plaqués en arrière, dans son deux-pièces blanc, elle ressemblait à une Vénus sortant de l'onde.

— Notre Nelly est une véritable naïade ! s'exclama Massimo, d'un ton admiratif, tandis qu'elle se frictionnait vigoureusement.

Pour la première fois depuis des jours, elle ressentit que son pouvoir de séduction était intact. Depuis sa rencontre avec Aldo, en effet, elle n'avait plus prêté attention aux regards masculins, comme si toute sa sensualité avait été anesthésiée.

Elle lut avec soulagement dans les yeux de Léa qu'il n'y avait aucune jalousie, aucune trace de sentiment mesquin. Dans un élan subit, elle se laissa tomber à côté d'elle, et posa sa main sur la sienne, qu'elle serra.

A la nuit tombante, ils remontèrent jusqu'au village. Au moment de se séparer, Léa leur rappela :

— Nous comptons sur vous demain !

— Oui... bien sûr, et merci ! répondirent en chœur Hélène et Nelly.

Le lendemain, la journée passa comme un éclair. C'était la dernière, aussi elles en savourèrent chaque instant avec une particulière intensité, faisant de menus achats, se régalant dans une *Trattoria* d'une friture de poissons et de délicieuses *tagliatelles,* se baignant et se dorant au soleil...

Ni l'une ni l'autre ne voulaient penser au départ, toutes à l'excitation de la soirée chez Massimo et Léa. Nelly paraissait avoir oublié ses idées noires, et, intérieurement, Hélène s'en réjouissait.

Dans leur chambre d'hôtel, gagnée par la pénombre de la nuit qui approchait, Hélène fouillait fébrilement dans sa valise.

— Je n'ai rien à me mettre... si j'avais pu prévoir...

Étendue sur le lit, Nelly attendait, les doigts écartés, que le vernis nacré, qu'elle venait d'étaler avec soin, sèche sur ses ongles.

— Voilà ce que c'est d'être si peu coquette !

— Au lieu de te moquer, tu ferais mieux de m'aider... donne-moi un conseil, au moins...

— Tu n'as pas besoin d'être très habillée... ils ont dit qu'il n'y aurait que quelques amis.

— Tu sais très bien que les Italiens adorent s'habiller, le soir...

— Les Italiens, oui... mais les Siciliens ?

— C'est la même chose, non ?

Nelly, à bout d'arguments, consentit enfin à se lever. Elle inspecta le contenu de la valise d'Hélène, qui, les bras ballants, la regardait faire, l'air complètement découragé. Soulevant un amas de vêtement roulés en boule, elle finit par extraire un pantalon en crêpe noir tout froissé.

— Il a besoin d'un bon coup de fer... mais à part ça, il est parfait. Je peux te prêter une tunique qui ira très bien avec, si tu veux...

— Oh ! oui... merci tu es gentille !

Deux minutes après, Hélène gémissait à nouveau devant la glace.

— Tu as vu mes cheveux ? Avec toute cette eau de mer, ils sont lamentables...

Nelly éclata de rire :

— C'est bien la première fois que je te vois t'intéresser autant à ta personne ! Fais-toi un shampooing... après, je me charge de te faire une coiffure tout à fait présentable...

Hélène ne se le fit pas répéter deux fois, et courut dans la salle de bains. Nelly entendit aussitôt le bruit de la douche.

Une heure après, elles étaient savonnées, pomponnées parfumées des pieds à la tête. A l'aide d'un séchoir, Nelly avait métamorphosé la chevelure d'Hélène, qui, à présent, n'arrêtait pas de contempler son image avec ravissement.

— Tu sais que tu es très jolie, quand tu veux t'en donner la peine !

De fait, avec ses cheveux châtains, lisses et brillants, qui lui effleuraient les épaules, une légère tunique noire qui blousait sur ses hanches, le large pantalon de même couleur, resserré aux chevilles, Hélène ressemblait à un délicat Tanagra.

— Et toi, tu es ravissante. Je suis sûre que ton entrée fera sensation !

Nelly haussa les épaules, feignant l'indifférence. Certes, elle se savait séduisante, mais sa simplicité naturelle l'incitait à ne jamais le montrer.

Pourtant, ce soir, elle avait pris un soin particulier à sa toilette. Elle était vêtue d'une longue jupe en crépon rose vif qui la rendait encore plus mince, et d'un haut de même couleur à fines bretelles, qui mettait en valeur son décolleté et sa peau bronzée.

Hélène s'impatienta, tandis que Nelly accrochait à son cou un collier fait de petits anneaux d'or.

— Dépêche-toi donc... on va être en retard!

— Comme tu es pressée... je ne te savais pas si mondaine!

Avant même de pénétrer dans le minuscule jardin qui entourait la modeste maison de pêcheurs que Massimo et Léa avaient transformée et aménagée avec beaucoup de goût, elles entendirent un brouhaha joyeux, indiquant qu'elles n'arrivaient pas les premières.

— Ah! voilà nos amies françaises...

Massimo, en smoking blanc, s'avançait à leur rencontre, en leur tendant les bras.

— ... et plus belles que jamais! leur souffla-t-il, tandis qu'il les entraînait au milieu des invités qui se pressaient dans la maison et sur la terrasse.

Leurs hôtes avaient bien fait les choses: d'éclatants bouquets de fleurs étaient disséminés un peu partout. Sur une table recouverte d'une simple nappe blanche, ils avaient disposé une multitude de plats, plus joliment décorés les uns que les autres, toutes sortes de fromages, des coupelles remplies d'olives. La flamme dansante de bougies multicolores se reflétait dans le cristal des verres et des flacons.

Sur la terrasse, suspendus à une guirlande, des lampions éclairaient la nuit d'un joyeux air de fête.

En pénétrant dans le salon au bras de Massimo, les deux jeunes filles se sentirent un peu intimidées par tous les regards qui se tournèrent immédiatement vers elles. Il y avait, au moins, une quarantaine de personnes... Certains dansaient, d'autres bavardaient par petits groupes fort animés.

Les présentations faites, Léa les entraîna ensuite vers le buffet, mais ne tarda pas à les abandonner en s'excusant, car elle venait d'être interpellée par d'autres invités.

Tout en picorant quelques olives, Nelly remarqua qu'elles n'étaient pas les seules, Hélène et elle, à avoir fait un effort de toilette: la plupart des femmes, dont certaines fort belles, étaient habillées avec élégance et raffinement. Leur solitude fut de courte durée: tandis qu'un jeune homme venait d'inviter Hélène à danser, Nelly entendit murmurer à mi-voix tout contre son oreille:

— Il fait trop chaud dans cette pièce... que diriez-vous d'aller prendre un peu le frais sur la terrasse... Au fait... désirez-vous boire quelque chose?

Le premier moment de surprise passé, Nelly ne put s'empêcher de sourire, en se tournant vers son interlocuteur. Ce qui la frappa immédiatement, ce fut l'intensité de son regard bleu derrière des lunettes à monture d'écaille.

— Excusez-moi, dit-elle, mais je n'ai pas retenu votre nom tout à l'heure, au milieu de tout ce monde...

— Je m'appelle Bill Bradford...

— Oh! vous n'êtes donc pas italien?

— Croyez bien que je le regrette... Hélas, je ne suis qu'américain...

Malgré le ton sérieux, l'humour de la phrase n'échappa pas à Nelly qui dit avec bonne humeur:

— Vous êtes pardonné... mais vous avez raison, on étouffe, ici...

Quelques instants plus tard, ils étaient sur la terrasse, assis sur la balustrade, en train de bavarder comme des amis de longue date. Bill but une gorgée de whisky et s'enquit:

— Vous êtes en Sicile pour quelque temps encore?

— Malheureusement, non. Je repars demain pour Paris.

— C'est vraiment dommage. Bah ! la vie n'est qu'une série d'occasions manquées...

Derrière la dérision de ses propos, Nelly perçut qu'il y avait dans ce grand gaillard une sensibilité qui lui plut... Pensivement elle tournait son verre entre ses doigts. Elle avait conscience que ce qu'il venait d'exprimer correspondait à ce qu'elle ressentait profondément.

Par la porte-fenêtre, la musique leur parvenait, assourdie. Bill se racla la gorge, et demanda :

— Voulez-vous que nous dansions...

Quand elle se retrouva dans la pénombre, serrée contre lui parmi d'autres couples enlacés, elle ferma les yeux. Ce n'était pas la joue de Bill qu'elle sentait contre la sienne, mais celle d'Aldo... elle éprouvait le même émoi que lorsqu'ils avaient, cette unique fois, dansé ensemble... Mais quand il essaya de chercher ses lèvres, elle se détourna instinctivement. Devant son refus silencieux, elle vit ses mâchoires se contracter, mais il n'insista pas.

Dès que la musique s'arrêta, ils allèrent s'asseoir dans un coin, sur des coussins disposés à même le sol, et reprirent leur conversation, comme si de rien n'était. Avec un flegme tout anglo-saxon dont elle lui sut gré, Bill semblait ne lui tenir aucune rigueur de sa froideur apparente.

Quelques heures plus tard, certains invités commencèrent à prendre congé. C'est à peine si Bill et Nelly s'en rendirent compte... Elle avait découvert en lui un interlocuteur fascinant. Il savait tant de choses ! Captivée, elle écoutait ses récits, pleins de finesse et de drôlerie. Il lui avait appris qu'il était le correspondant en Italie d'un grand quotidien new-yorkais et qu'il était sur le point d'achever une enquête sur les mouvements terroristes italiens.

— Mais... ce doit être dangereux... Vous n'avez pas peur pour votre vie ?

— Je m'efforce de faire mon métier le mieux possible, tant pis s'il y a des risques... Presque tous les jours, dans ce pays, il y a des attentats... des enlèvements. J'essaie de comprendre... d'expliquer... Heureusement la police parvient, de temps à autre, à mettre la main sur ces gangsters de tous bords... Tenez, aujourd'hui même, ici, du côté de Palerme, ils viennent de coffrer une bande organisée qui était sur le point de commettre un enlèvement... une jeune fille d'une riche famille, je crois... mais je n'ai pas eu encore beaucoup de détails sur cette affaire.

A ces mots, Nelly resta interdite. Elle se souvint qu'Aldo avait fait allusion au terrorisme, allant même jusqu'à l'accuser de... Dieu sait quoi ! Elle qui ne s'était jamais intéressée de près à la politique... c'était risible ! Pourtant ce souvenir qui n'avait rien d'agréable ne la fit pas rire le moins du monde.

Devant son regard absent qu'il prit, sans doute, pour de la fatigue, Bill jeta un coup d'œil à sa montre.

— Si vous voulez, je peux vous ramener à votre hôtel...

— Je ne suis pas toute seule... je suis venue avec une amie...

Cela faisait un moment qu'elle avait perdu Hélène de vue. Voyant que celle-ci avait l'air de s'amuser follement, elle ne s'en était pas préoccupée de la soirée... Elle la chercha du regard parmi les quelques personnes qui restaient, et finit par la découvrir dans un coin sombre de la pièce, en train de danser un slow langoureux avec un jeune homme qui la serrait de près. Bien que Nelly ne le vît que de dos, elle reconnut celui qui avait abordé Hélène dès leur arrivée.

Quand le disque s'arrêta, Nelly s'approcha d'elle, et lui chuchota à l'oreille :

— Je rentre parce que je suis un peu fatiguée, mais reste, si tu veux...

Devant l'air désolé d'Hélène, son cavalier intervint aussitôt :

— Ne vous inquiétez pas pour elle... je la raccompagnerai !

Celle-ci, les yeux vagues, se contenta d'opiner de la tête, gravement. Il était clair qu'elle n'avait aucune envie d'interrompre son flirt... Nelly lui lança un sourire complice.

— Alors... nous nous retrouverons là-bas. Ne rentre pas trop tard quand même. N'oublie pas que nous avons un avion à prendre !

— Non... non... ne te fais aucun souci...

Visiblement elle se trouvait dans un état second, proche de la béatitude...

Nelly partit à la recherche de Massimo et de Léa, qui bavardaient avec un couple d'un certain âge.

— Vous vous en allez déjà ! s'exclama Léa avec une expression navrée, mais nous vous avons à peine vue...

Nelly l'embrassa avec élan.

— J'ai passé une merveilleuse soirée... mais il est très tard, et demain une rude journée m'attend...

Leurs adieux furent d'une telle chaleur que Nelly sentit son cœur se serrer à l'idée de devoir quitter des amis aussi délicieux.

— J'espère bien que vous me ferez signe si vous venez à Paris... Quant à moi, je n'oublierai jamais votre accueil...

Ils la raccompagnèrent jusqu'à la voiture de Bill. Nelly avait laissé les clés de la sienne à Hélène pour qu'elle puisse rentrer quand bon lui semblerait.

Durant tout le trajet, ils n'échangèrent que des banalités. Nelly, les yeux clos, laissait dodeliner sa tête sur le dossier de son siège. Elle ne les rouvrit que lorsqu'il coupa le moteur.

— Nous voilà arrivés à destination. Dans quelques instants, vous aurez disparu, et je resterai seul, pauvre malheureux, avec votre souvenir comme seule compagnie...

Il avait prononcé ces mots avec une ironie appuyée. Intriguée, Nelly se tourna vers lui. Mais il poursuivit :

— Les choses auraient pu se passer autrement... il ne s'en fallait pas de beaucoup pour que je tombe amoureux de vous...

Elle posa doucement sa main sur la sienne.

— Bill... j'ai été très heureuse de passer cette soirée avec vous... mais il est probable, en effet, que nous ne nous reverrons jamais...

— Je le sais. J'ai compris pas mal de choses, ce soir... Et d'abord, que je n'avais aucune chance... bien que je sois seul et que vous soyez ravissante...

— Que voulez-vous dire ?

— Vous aimez quelqu'un d'autre... mais il est évident que cela ne vous rend pas heureuse.

Nelly éprouva un choc. Avec une petite voix soudain étranglée, elle demanda :

— Ça se voit donc tellement ?

— Je l'ai perçu dès le premier instant. Il y a dans votre regard une tristesse qui ne pouvait échapper à mon esprit perspicace...

Cher Bill... Il avait une manière bien à lui de dissimuler la pudeur de ses sentiments sous le couvert de la plaisanterie.

Nelly se pencha vers lui et déposa un baiser sur sa joue. Les mains posées sur le volant, il resta sans réaction, les yeux fixés sur le pinceaux lumineux des phares.

Puis, sans un mot, il sortit de la voiture et ouvrit la portière du côté de Nelly.

— Bye-bye, Nelly...

Il lui étreignit la main avec force et se détourna. Lorsqu'elle pénétra dans l'hôtel, elle entendit la voiture faire demi-tour dans un violent crissement de pneus.

Le cœur plus lourd que jamais, elle se coucha. Beaucoup plus tard, alors que le jour pointait, dans son sommeil elle sentit vaguement remuer à côté d'elle. Elle comprit alors qu'Hélène venait, à son tour, de rentrer... mais elle n'eut pas la force d'ouvrir les yeux

CHAPITRE XII

— QU'EST-ce que tu prends ?

Par-dessus le menu déployé devant elle, Nelly adressa à Hélène un regard interrogateur. Celle-ci, les sourcils froncés, méditait devant la liste étonnamment variée des plats de la région. Elle se décida enfin à choisir, au hasard :

— Un gratin de poisson.

Elle avait dit cela sans conviction, comme pour se débarrasser d'une corvée...

Après avoir commandé le repas, tandis que le serveur s'éloignait en se faufilant entre les tables encombrées, Nelly jeta un regard autour d'elle. La salle comble du petit restaurant proche de l'aéroport était bruyante et animée. Mais l'agitation qui l'entourait n'avait pas réussi à tirer Hélène de sa morosité.

Depuis leur réveil, celle-ci n'avait pas ouvert la bouche, sauf pour quelques paroles strictement indispensables. Sans entrain, elle avait aidé Nelly à boucler les bagages, et à accomplir les derniers préparatifs avant leur départ.

Nelly n'avait pas eu besoin de l'interroger pour comprendre ce qui occupait ses pensées : Marco, le jeune homme avec lequel elle avait dansé toute la soirée, la veille, n'y était sûrement pas étranger. Nelly avait eu le tact de ne lui poser aucune question, et de ne lui faire aucune remarque à propos de son retour tardif. D'ailleurs, elle avait la conviction qu'Hélène lui était reconnaissante de sa discrétion...

Était-elle amoureuse ? Nelly n'aurait su le dire avec certitude. Malgré leurs étroits liens d'amitié, Hélène était toujours restée très secrète en ce domaine. Depuis longtemps, Nelly en avait pris son parti et ne lui en voulait nullement de ne pas vouloir dévoiler cette partie de sa vie.

Par expérience, elle savait bien que certaines choses sont trop personnelles pour qu'on puisse les confier à qui que ce soit, même à sa meilleure amie. Ainsi, elle-même, lorsqu'elle avait raconté à Hélène son aventure avec Aldo, avait-elle, par pudeur, évité toute allusion trop intime. Comment ne pas garder pour elle l'émoi qu'elle avait ressenti à son contact physique, à ses baisers dont le souvenir la faisait encore vibrer tout entière ?

Elle avait vainement cherché l'oubli durant ces trois semaines. Mais, ni son travail, ni la présence chaude et amicale d'Hélène, ni son tête-à-tête avec Bill, n'avaient vraiment réussi à la distraire de sa mélancolie. Bien sûr, elle s'était efforcée de donner le change, de rire, de plaisanter... mais le cœur n'y était pas.

La perspective de quitter ce pays dans quelques heures la déchirait. Jamais elle n'aurait pensé qu'une rencontre qu'elle savait, hélas, sans lendemain, puisse laisser une empreinte aussi brûlante et douloureuse.

Leur repas touchait à sa fin. Ni l'une, ni l'autre n'avaient goûté la saveur des plats, pourtant délicieux, qui leur avaient été servis. Le regard dans le vague, Hélène laissait fondre devant elle la glace à la pistache à laquelle elle n'avait pas encore touché. Elle sursauta en entendant la voix de Nelly :

— Dépêche-toi... ça va être l'heure !

Elle repoussa son assiette, l'air contrarié. Nelly vit de l'orage dans ses yeux clairs.

— Toi, au moins, tu n'as pas l'air mécontente de partir...

— Je t'en prie, Hélène, essaie de comprendre...

— Mais c'est toi qui ne comprends rien. Tu ne penses qu'à toi et à ton Aldo. Depuis mon arrivée, tu n'es plus la même, je ne te reconnais pas. Toi qui étais si dynamique... si gaie... c'est incroyable ce que tu as changé ! Tu es indifférente à tout ce qui se passe autour de toi.

Sa voix se cassa soudain. Sentant son émotion, Nelly chercha à la calmer.

— Tu te trompes. Je vois bien que, toi aussi, tu es malheureuse. L'amour, ça peut faire très mal quelquefois...

Hélène battit des paupières, luttant contre les larmes qui lui montaient aux yeux. C'était la première fois que Nelly la voyait dans cet état. Mais Hélène, secouant la tête, l'air buté, continuait :

— Je ne comprends pas... tu t'obstines à aimer quelqu'un qui s'est très mal conduit avec toi... et tu n'as même pas eu l'air de remarquer, hier soir, que cet Américain te faisait la cour de façon évidente. Il avait pourtant l'air sympathique... Mais tu te refuses à regarder les choses en face !

Devant sa véhémence, Nelly s'efforça de conserver son calme.

— Les choses ne sont pas aussi simples que tu le crois. Bill est un garçon charmant, très séduisant, même... mais je le connais à peine, et je ne suis pas amoureuse de lui. Écoute, ne parlons plus de cela, veux-tu ? Ce serait idiot de tout gâcher entre nous maintenant, non ?

Hélène approuva en hochant la tête. Elle essaya de sourire.

— Tu as raison. Oublie ce que je viens de te dire, je t'en prie...

Elles étaient aussi émues l'une que l'autre. A travers la table, elles se serrèrent la main en silence. Nelly parvint à articuler :

— Tu sais... on supporte mieux le chagrin quand on est deux à le partager...

En montant dans la voiture, Hélène demanda d'une petite voix :

— Tu me trouves stupide, n'est-ce pas ? Un garçon que je ne reverrai sans doute jamais...

— Comment pourrais-je me permettre de te juger ? Je ne sais que trop qu'on ne peut guère commander à son cœur... Oh ! et puis, pourquoi se gâcher l'existence ? Regarde ce beau soleil...

Pendant les quelques kilomètres qui les séparaient de l'aéroport, elles demeurèrent silencieuses, essayant de fixer pour toujours dans leur mémoire les images de ce paysage merveilleux où elles avaient vécu, l'une et l'autre, des moments qu'elles n'oublieraient pas de sitôt.

Arrivées à destination, elles n'eurent plus guère le loisir d'échanger des confidences. Il s'agissait maintenant de s'acquitter au plus vite des dernières formalités. Sur le point de se rendre dans la salle d'embarquement, Nelly s'écria :

— Attends-moi... j'achète quelques journaux et j'arrive !

Devant le kiosque, elle hésita : il n'y avait pratiquement pas de journaux en langue française.

— Tant pis, se dit-elle en tendant quelques magazines à la vendeuse, nous pourrons toujours regarder les photos...

Son emplette sous le bras, elle courut rejoindre Hélène, juste au moment où l'on invitait les voyageurs à monter dans l'avion.

Après avoir pris possession de deux sièges près d'un hublot, elles bouclèrent leur ceinture. Quelques instants plus tard, l'avion s'ébranla, et se mit à rouler pendant un temps qui leur parut infini. Puis, il s'arrêta, faisant rugir ses moteurs avec une stridence qui déchirait les oreilles. Une violente poussée les cloua contre leur dossier... Le lourd oiseau prenait son envol...

Fascinées, elles regardaient, sous elles, le paysage défiler à toute allure, tandis que l'avion prenait de l'altitude. Elles ne virent bientôt plus que l'immensité bleue de la mer.

Nelly poussa un gros soupir. Malgré ses fréquents voyages aériens, elle éprouvait toujours une insupportable appréhension à se trouver entre ciel et terre. Au bout d'un moment, alors que le régime des moteurs s'était régularisé en un ronronnement rassurant, elle se détendit.

— Tiens ! dit-elle, en tendant le paquet de journaux à sa voisine. Elle-même prit un magazine, qu'elle commença à feuilleter distraitement. Soudain, il lui sembla que son cœur s'arrêtait de battre.

— Non... ce n'est pas possible..., dit-elle, d'une voix blanche.

Inquiète, Hélène releva la tête pour la regarder.

— Qu'est-ce qu'il y a ?

— Là... là... regarde !

Nelly lui désignait du doigt une page pleine de photos. Mais Hélène ne comprenait toujours pas ce qui avait l'air de tant bouleverser son amie.

— Eh bien, quoi ?

— Mais là... tu vois bien!

Hélène se pencha pour examiner de plus près les clichés. Sur l'un d'entre eux, on voyait un groupe d'hommes, trois ou quatre, menottes aux poignets, entourés par des carabiniers. Sur l'autre, un homme mince, très brun, à l'expression volontaire, tenait par les épaules une toute jeune femme, dont le regard étrange était à moitié dissimulé par sa chevelure en désordre.

Incrédule, Hélène n'osait formuler sa pensée.

— C'est... ?

Nelly s'était mise à trembler des pieds à la tête.

— Aldo... oui, c'est lui... avec Sandra.

— Mon Dieu... c'est extraordinaire!

Arrachant le magazine des mains de Nelly, Hélène scruta avidement les traits de ces personnages, figés par le flash du photographe. Ainsi ce beau visage altier, un peu mélancolique, c'était donc celui d'Aldo? Il n'avait rien de cet individu douteux qu'elle s'était imaginée... et ces types, à côté? des gangsters? Que signifiait donc tout cela? Elle essaya de déchiffrer le texte de l'article. Bien qu'il lui fût impossible de tout saisir, elle en comprit l'essentiel. A mi-voix, elle expliqua pour Nelly:

— Je crois qu'il s'agit de l'arrestation ces jours-ci de bandits... de terroristes... qui ont essayé d'enlever... la sœur d'Aldo...

— Sa sœur? Sandra? Mais comment ça?

— Je ne sais pas très bien... en tout cas, ils n'ont pas réussi... on les a arrêtés à temps...

Nelly était livide. Elle ne parvenait pas à détacher son regard de ces photos. Nerveusement, elle croisait et décroisait ses mains, en proie à un bouleversement intense.

Tout excitée, Hélène s'exclama:

— Mais c'est un vrai roman policier! Maintenant,

tout s'explique... l'île, si bien gardée... c'était pour protéger sa sœur...

Nelly avait du mal à mettre un peu de cohérence dans ses pensées. Comment avait-elle pu à ce point se méprendre ? Ainsi Sandra était sa sœur... sa sœur ! Elle répétait ce mot, comme pour mieux se pénétrer de sa signification. Elle réalisa que le poids énorme qui l'écrasait depuis tant de jours l'abandonnait enfin.

Peu à peu, elle reprit possession d'elle-même, s'efforçant de comprendre le sens de ces phrases qui dansaient devant ses yeux. Après beaucoup d'effort, elle parvint à reconstituer l'histoire : héritier d'une riche famille d'aristocrates romains, Aldo avait réussi à déjouer les plans d'un groupe de terroristes qui avait projeté d'enlever Sandra. Le déroulement des événements lui parut terriblement embrouillé, mais elle n'en retenait qu'une chose : Aldo n'avait rien à se reprocher, bien au contraire. Elle finit par murmurer, comme pour elle-même :

— Mais, tout de même, il y a une chose que je ne comprends pas...

— Quoi donc ?

— Pourquoi enfermait-il ainsi sa sœur ? Que risquait-elle dans cette île, avec ces chiens qui patrouillaient sans cesse ?

Hélène marqua son ignorance par un haussement d'épaules.

Nelly se remémora sa conversation de la veille avec Bill. C'était sûrement à cette affaire qu'il avait fait allusion en parlant de l'arrestation d'une bande organisée qui avait projeté l'enlèvement d'une riche héritière... Ainsi, Aldo et sa sœur appartenaient à un monde bien différent du sien. Aussitôt, ses pensées se teintèrent d'amertume... « Jamais, songea-t-elle, nos chemins ne pourront plus se croiser... Comment pourrait-il prêter attention à une fille comme moi ? » Elle imagina la société dorée qui devait être la sienne : de l'argent facile, une *dolce vita* faite de plaisirs vénéneux, à l'ombre de palais orgueilleux... Intérieurement, elle se répétait : « Je dois l'oublier... il faut que cesse cette folie qui s'est emparée de moi... il le faut absolument... » Mais, en même temps, quelque chose en elle se révoltait à cette perspective.

Hélène la tira de ses réflexions en disant :

— Je comprends maintenant ton coup de foudre. Il est rudement séduisant, cet Aldo...

Nelly sourit avec mélancolie.

— Malheureusement, je crois que si coup de foudre il y a, il restera à jamais à sens unique...

— Pourquoi dis-tu cela ? Il t'a bien montré que tu ne lui étais pas du tout indifférente, que je sache !

— S'il m'avait vraiment aimée, il ne m'aurait jamais laissée partir comme ça... Non. Il faut être lucide. Ma présence l'a distrait un moment... Sa vie dans l'île ne devait pas être drôle. Il n'a sans doute pas trouvé désagréable de voir débarquer à l'improviste une fille pas trop moche... Que peut-il y avoir de commun entre lui et moi, veux-tu me dire ?

Hélène protesta avec véhémence :

— Tu es incroyable ! Tu vois toujours tout en noir...

— Pas du tout. Je suis raisonnable, c'est tout.

— Écoute... je me mets à ta place. Je comprends que tu sois chamboulée par toute cette histoire. Essaie seulement de ne plus y penser pour le moment... Tu verras que lorsque nous serons rentrées, tout ira mieux.

Nelly eut une petite moue triste qui serra le cœur de son amie.

Heureusement, l'hôtesse créa une diversion en venant leur proposer des boissons.

Quand elle reposa son verre de jus de fruit après avoir bu, Hélène lui demanda :

— Maintenant que tout ce mystère est éclairci, pourquoi ne lui écrirais-tu pas ? Tu verras bien sa réaction...

— Ah ! ça, sûrement pas. S'il avait voulu me revoir, il se serait déjà manifesté. Ça ne devait pas lui être trop difficile de me retrouver...

Hélène, pas convaincue, secoua la tête :

— Méfie-toi de ton orgueil, Nelly. C'est peut-être ton pire ennemi.

— Il ne s'agit pas d'orgueil, mais de bon sens.

Hélène n'insista pas. Elle sentait bien que derrière ces propos volontairement froids, Nelly cachait une amère déception.

Pendant tout le reste du voyage, elle s'efforça de parler de choses et d'autres pour distraire l'attention de Nelly. Mais, à toutes deux, le temps parut très long. Aussi, c'est avec soulagement qu'elles entendirent la voix de l'hôtesse annoncer que l'avion amorçait sa descente sur Paris.

CHAPITRE XIII

IL faisait nuit quand le taxi déposa Nelly devant l'immeuble qu'elle habitait. A l'exception de quelques fenêtres encore éclairées, tout semblait dormir dans la rue déserte à cette heure tardive. Avant de monter, elle prit le courrier qui s'était accumulé dans sa boîte à lettres pendant son absence. Des cartes postales... des factures... des prospectus... un rapide coup d'œil lui suffit pour se rendre compte qu'il ne contenait rien de bien intéressant.

A peine rentrée dans son petit appartement, elle laissa choir ses bagages. S'adossant à la porte, elle respira cette odeur familière et cependant indéfinissable qu'elle aurait reconnue entre mille. En tâtonnant, elle chercha le commutateur. Quand la lumière se fit, elle éprouva comme une sorte de malaise : elle se sentait étrangère dans cet univers qui, pourtant, était le sien. Depuis quand était-elle partie ? Il lui sembla que son absence avait duré une éternité...

D'un geste machinal, elle abaissa le store devant la grande baie vitrée. Les plantes vertes posées devant la fenêtre avaient piètre mine... personne ne les avait arrosées depuis des semaines. Elle tapota les coussins du divan, ce qui eut pour effet de soulever un nuage de poussière. Nelly poussa un soupir : demain, la vie allait reprendre son cours normal, avec ses rites et ses gestes quotidiens...

Elle réalisa tout à coup qu'elle avait faim. Dans la cuisine, elle inspecta le contenu de son placard à provisions. Hélas, il ne restait pas grand-chose, à part quelques boîtes de conserve, et un paquet de biscottes. Bah ! un potage et des sardines feraient bien l'affaire...

Son frugal repas vite préparé, elle s'attabla devant son assiette. Elle aimait l'intimité chaleureuse de cette pièce, avec ses meubles en bois brut, et ses murs recouverts de liège qui étouffaient les bruits. Tout en mangeant, elle passa en revue son courrier. Elle avait beau s'y attendre, elle n'avait pu s'empêcher de ressentir une déception en constatant qu'il ne contenait ni carte, ni lettre d'Aldo. Elle se souvenait pourtant parfaitement qu'elle lui avait donné son adresse. C'était une preuve supplémentaire, s'il en était besoin, qu'il avait bel et bien cessé de penser à elle...

« C'est la seule chose qui me reste à faire, moi aussi », songeait-elle, tandis qu'elle s'apprêtait à se coucher. « Je ne vais tout de même pas continuer à m'empoisonner l'existence avec le souvenir d'un fantôme... »

En rencontrant son image dans la glace de la salle de bains, elle eut un choc. Elle se reconnaissait à peine avec ce teint bronzé piqueté de taches de rousseur, qui évoquait tant le soleil des vacances. Avait-elle vraiment été en vacances ? Les seuls moments de vraie détente qu'elle avait connus avaient été ceux qu'elle avait passés dans l'île, avec Aldo.

Un *kleenex* à la main, le geste suspendu, elle demeura un moment figée près du lavabo : elle revivait dans ses moindres détails cette fameuse matinée qui avait été, pour eux, la dernière. Il avait eu, alors, une expression fermée, absente, presque jusqu'à la fin. Presque... car elle se souvenait, avec un intolérable pincement au cœur, de cet éclat de rire qui s'était emparé de lui, et qui l'avait tellement exaspérée...

— Quelle idiote j'ai été ! murmura-t-elle, pleine de dépit. Ah ! il s'est bien moqué de moi !

Ils ne s'étaient même pas dit « adieu ». La gifle qu'elle lui avait administrée en avait tenu lieu. A ce souvenir cuisant, elle sentit son visage s'empourprer. « Bien sûr, pensa-t-elle, depuis cette scène ridicule, il doit me détester. Comment pourrait-il en être autrement ? » Elle porta la main à son front avec lassitude. « Je ferais mieux d'aller dormir... » murmura-t-elle.

Après toutes ces nuits passées dans différents hôtels, elle retrouva sa chambre avec plaisir. Pour la première fois depuis qu'elle avait remis les pieds chez elle, elle éprouva, en se glissant dans son lit, un sentiment de bien-être. Elle n'était pas mécontente de se retrouver enfin seule, pour réfléchir à tous les événements qui l'avaient si durement secouée. Désormais, elle allait avoir à faire face à d'autres soucis, d'autres préoccupations... Elle réalisa, avec contrariété, que la passion qu'elle avait eue jusque-là pour son métier commençait à s'émousser, et, c'est sans entrain qu'elle envisageait de reprendre son travail dès le lendemain... Tout finit par se brouiller dans sa tête, et elle ne tarda pas à sombrer dans le sommeil.

Ce fut la sonnerie stridente du téléphone qui la réveilla. Elle mit quelques secondes avant de reprendre ses esprits, et de décrocher l'appareil posé près de son lit.

— Allô...

— Allô... Nelly ?

Elle reconnut tout de suite, dans cette voix basse et essoufflée celle de Chris, et réprima, du mieux qu'elle put, son agacement. Chris était vraiment la dernière personne à qui elle avait envie de parler ce matin.

— Oui... comment vas-tu ?

— Ça irait beaucoup mieux si je pouvais te voir... depuis plusieurs jours, j'essaie de te joindre... Ecoute, il faut que je te parle absolument. Je peux venir dans une heure ?

— Mais je dois travailler, ce matin, et je...

— Je ne resterai pas longtemps. Nelly, s'il-te-plaît, fais-moi plaisir...

Nelly soupira d'un air résigné.

— Alors, dépêche-toi. Je n'ai guère le temps...

— O.K. J'arrive !

Il y eut un déclic. Chris avait raccroché.

A la perspective de le revoir, elle ne ressentait que de l'ennui. Comment lui faire comprendre que tout était fini de son côté ?

Après avoir avalé un café brûlant, accompagné de biscottes, elle prit une douche. La matinée était belle et déjà chaude. Elle hésita devant sa penderie grande ouverte, avant de se décider à choisir une robe-chemisier rouge cerise et des sandales à brides fines et hauts talons. Elle était contente de s'habiller avec élégance, après avoir vécu plusieurs semaines dans les tenues les plus simples. Pour se donner bon moral, elle était bien décidée à tirer le meilleur parti d'elle-même. Aussi elle se maquilla et se coiffa avec un soin extrême. Elle venait à peine de terminer, qu'un coup de sonnette impératif retentit.

Elle ouvrit la porte. Chris se tenait immobile sur le seuil. Ils se dévisagèrent un instant en silence avant que Nelly se décide à dire :

— Eh bien, entre...

D'un air un peu gauche, il s'avança au milieu de la pièce.

— Tu es plus belle que jamais. Tu as passé de bonnes vacances, je suppose ?

Elle eut un geste évasif.

— Oh! tu sais... j'étais là-bas surtout pour travailler...

— Hélène t'a donné ma lettre?

Un peu gênée, elle ne répondit pas tout de suite.

— Heu... oui, mais je dois t'avouer que je ne l'ai pas lue.

Elle vit au battement rapide de ses paupières qu'il accusait durement le choc. Pour se donner une contenance, il alluma une cigarette sur laquelle il tira nerveusement, sans la regarder. Nelly aurait payé cher pour être ailleurs à ce moment-là. Elle savait qu'elle venait de le blesser affreusement, mais pouvait-elle agir autrement? Elle se sentait incapable de lui mentir. Tandis qu'il arpentait le living à grandes enjambées, elle l'examina à la dérobée. Avec sa tignasse blonde en désordre, dont les mèches cachaient à demi ses yeux bleus, il conservait cette allure juvénile de grand gosse maladroit qui l'avait si souvent attendrie naguère.

Il finit par articuler enfin :

— Il faut bien que je me rende à l'évidence... Tu ne m'aimes plus, c'est ça?

— Je t'aime bien, Chris. Mais je ne suis plus amoureuse de toi. Je croyais que tu avais compris...

Pas un muscle de son visage n'avait bougé. Il prit une grande inspiration, comme pour maîtriser son émotion.

— Tu as décidé ça toute seule. Et moi, là-dedans, qu'est-ce que je deviens?

Bien qu'elle ait résolu de se montrer très ferme, elle ne put s'empêcher d'éprouver une immense pitié pour lui. Aussi, elle lui dit avec douceur :

— Nous sommes trop différents, tu le sais bien. J'en ai assez de toutes ces querelles qui ne font que nous détruire...

Une lueur méchante dansa dans le regard de Chris. Il lui lança agressivement :

— Tu inventes n'importe quoi parce que ça t'arrange... en fait, tu es amoureuse de quelqu'un d'autre. Allez... dis-le !

— Je n'ai pas de compte à te rendre !

Elle était soudain furieuse. Il marcha sur elle avec un air si menaçant, qu'elle eut peur et recula. Elle n'ignorait pas que sa violence pouvait être redoutable.

— Ne me touche pas ou je crie !

Il s'arrêta net, et éclata d'un rire sans joie.

— Voilà la grande scène ! Non, rassure-toi, je ne toucherai pas à un cheveu de ta précieuse personne... Tu ne le mérites même pas. Je suppose que tu n'as qu'un seul désir maintenant, c'est de me voir partir ?

Les yeux étincelants de colère, elle répliqua :

— Exactement ! Je ne supporte plus ton caractère, ni ta jalousie morbide. Peut-être connais-tu un proverbe français qui dit qu'« on ne prend pas les mouches avec du vinaigre ». Il y a longtemps que tu aurais dû le méditer. A présent, je crois que nous nous sommes tout dit. Je ne te retiens pas...

Tout en prononçant ces paroles, elle se dirigea avec vivacité vers la porte d'entrée qu'elle ouvrit toute grande. D'abord figé par la surprise, il essaya de dire quelque chose, mais il y renonça. Sur le palier, il se retourna vers elle, les mâchoires contractées. Il fit un vague signe de la main.

— Alors, adieu... Je crois que je vais repartir aux États-Unis, puisque plus rien ne me retient ici.

Les yeux brouillés de larmes, dans l'incapacité de parler, Nelly ne répondit pas. Tandis qu'il dévalait les escaliers, immobile, elle écouta ses pas décroître jusqu'à ce que le silence soit retombé. A ce moment-là seulement, elle referma doucement la porte...

Elle resta de longues minutes prostrée sur le divan, la tête entre les mains. De quelque côté qu'elle se tournât, tout allait mal. Elle avait l'impression que sa vie, tel du sable, coulait entre ses doigts, sans qu'elle pût en retenir la moindre parcelle. Était-il possible qu'elle continue à aller ainsi, d'échec en échec ? Il n'y avait décidément que son travail pour lui apporter une certaine satisfaction... mais était-ce suffisant ?

Un coup d'œil à sa montre lui apprit que la matinée était déjà fortement entamée. Elle n'avait pas de temps à perdre si elle ne voulait pas arriver en retard aux studios de télévision.

Dès l'instant où elle pénétra dans ces lieux familiers, sa tristesse s'envola. Des gens allaient et venaient en tous sens. A plusieurs reprises, elle dut s'arrêter pour dire « bonjour » à tous ceux qu'elle connaissait. On l'embrassa, on la complimenta sur sa bonne mine... En riant, elle se prêta de bonne grâce aux questions qui fusaient de toutes parts. Réconfortée par cet accueil chaleureux, sa bonne humeur était revenue. A peine avait-elle franchi le seuil du service des reportages, qu'Hélène lui sauta au cou. Elle aussi avait le visage rayonnant. Avec excitation, elle s'empressa d'annoncer à Nelly :

— Il paraît que quelqu'un cherche à te joindre au téléphone depuis plusieurs jours... un appel de l'étranger...

Nelly pâlit. Elle répéta en écho :

— Un appel de l'étranger ? Qui est-ce ?

— Je ne sais pas. Mais, ici, la secrétaire, sachant que tu es revenue, a donné ton numéro personnel... on te rappellera sûrement.

Tout le reste de la journée, Nelly fut absorbée par son travail. Malgré tout, elle ne parvenait pas à écarter cette pensée qui, sans cesse, l'obsédait : qui donc cherchait ainsi à la joindre, avec cette insistance ? Elle n'osait se formuler le fol espoir qui avait germé en elle... si seulement c'était Aldo !

Elle demeura tard au studio. Il lui avait d'abord fallu visionner le film ; puis, dans la salle de montage, elle avait longuement discuté des coupes qui devaient lui donner son aspect définitif. Son impatience avait grandi au fur et à mesure que les heures passaient : personne ne l'avait appelée de la journée...

En sortant, Hélène lui proposa :

— On dîne ensemble ?

— Je suis un peu fatiguée. Je préfère rentrer. Il faut, d'ailleurs, que je fasse quelques courses...

En vitesse, elle acheta dans un supermarché, juste avant sa fermeture, des provisions pour son repas.

A peine avait-elle introduit la clé dans la serrure, qu'elle entendit, de l'autre côté de la porte, le téléphone sonner. Elle se rua dans l'appartement, laissant tomber ses paquets au hasard, et décrocha d'une main tremblante.

— Allô... on demande à parler personnellement à mademoiselle Marchand...

— C'est moi.

— Ne quittez pas...

Quelques secondes passèrent, pendant lesquelles son cœur battit à tout rompre. Puis une voix masculine se fit entendre :

— Allô... mademoiselle Marchand ?

Interloquée, elle ne reconnaissait pas cette voix à l'accent étranger.

— Oui... qui est à l'appareil ?

— Bob Simpson... vous vous souvenez de moi, Nelly ?

Bob Simpson ! C'était le représentant de la chaîne de

télévision américaine qui l'avait contactée naguère, alors qu'elle tournait un film sur New York... En d'autres temps, elle aurait bondi de joie, mais cet appel lui fit, au contraire, l'effet d'une douche froide. Surmontant sa déception, elle dut faire un gros effort pour paraître enchantée.

— Oh ! Bob ! mais bien sûr...

— Écoutez, Nelly, je vous ai déjà appelée plusieurs fois sans succès... j'ai du travail pour vous très intéressant, mais c'est pressé...

— Je ne sais pas si...

— Il faut absolument que nous en discutions. Au téléphone, c'est impossible. Alors, sautez dans le premier avion... je vous attends à New York.

— Mais Bob...

— C'est très important. Arrangez-vous pour vous rendre disponible dès que possible. Je vous assure que vous ne le regretterez pas ! Il s'agit d'un contrat... alors, faites vite.

— Donnez-moi au moins la nuit pour réfléchir !

— O.K. Téléphonez-moi demain votre décision.

Il lui dicta un numéro qu'elle nota soigneusement.

— Entendu... comptez sur moi. Et merci !

Elle raccrocha toute agitée. Un contrat en Amérique ! C'était la chose qu'elle avait le plus espéré au monde... avant. A présent, elle ne savait plus si elle devait s'en réjouir. Car cela signifiait qu'elle devait quitter pour longtemps l'Europe, tourner le dos à tout ce qui comptait pour elle... Dire qu'elle avait pensé toute la journée à ce coup de fil en s'imaginant naïvement que ce pouvait être Aldo...

Elle eut un petit rire amer.

— Pauvre sotte... qu'espérais-tu ?

Elle se prépara un petit repas qu'elle se força à manger bien qu'elle n'eût pas vraiment faim. Toute la soirée, elle tourna et retourna dans sa tête toutes les données du problème auquel elle se trouvait soudain confrontée. Elle eut une longue conversation téléphonique avec Hélène qui la pressa d'accepter ce qu'elle considérait comme « la chance de sa vie ». Au fond d'elle-même, elle sentait bien que les arguments d'Hélène ne manquaient pas de poids. Qu'avait-elle à perdre ? Changer d'horizon ne pouvait que l'aider à faire peau neuve, et à repartir pour une vie nouvelle, en laissant derrière elle déception et chagrin.

Par ailleurs, professionnellement, c'était une aubaine qu'elle devait saisir au vol, car elle ne se présenterait sûrement pas deux fois.

Elle dormit d'un sommeil entrecoupé d'insomnies, mais, au réveil, sa décision était prise : elle allait téléphoner à Bob qu'elle acceptait de venir à New York.

Les jours suivants, Nelly fut comme happée par un tourbillon : elle avait tant de démarches à accomplir, de problèmes à régler... Enfin, le matin du départ arriva. Hélène, qui avait tenu à l'accompagner à l'aéroport de Roissy, resta étrangement muette pendant tout le trajet. Comme elles avaient du temps devant elles, Nelly lui proposa gentiment :

— Si nous allions boire un café ?

A son grand étonnement, Hélène tourna vers elle des yeux pleins de larmes.

— Mais qu'est-ce que tu as ? s'alarma Nelly.

Hélène répondit, la voix tremblante :

— Je suis si heureuse pour toi... mais, en même temps, si malheureuse !

Nelly lui enlaça les épaules.

— Mais, ma chérie, je ne pars que pour quelques jours... regarde ! je n'emporte avec moi qu'un petit sac pour tout bagage !

— Oh! je sais bien que tu choisiras de rester là-bas... remarque, tu auras bien raison.

— Mais je ne me suis encore engagée à rien!

Hélène secoua la tête avec une moue dubitative.

— Je crois qu'il vaut mieux que je m'en aille... ça me fait trop de chagrin de te voir partir...

Nelly n'insista pas pour la retenir, mais elle l'étreignit avec force.

— A bientôt! Dans une semaine, au plus tard, je suis de retour!

Après l'avoir embrassée, Hélène s'éloigna rapidement, sans se retourner.

Restée seule, Nelly demeura désemparée quelques instants. Elle jeta un coup d'œil à sa montre. N'ayant pas de bagage à faire enregistrer, elle avait encore une demi-heure à perdre avant l'embarquement. Ne sachant trop que faire, elle déambula dans le vaste hall circulaire, regardant distraitement la devanture des boutiques. A la cafétéria, elle commanda un *espresso*. Juste au moment où elle allait porter la tasse à ses lèvres, elle entendit retentir la voix suave d'une hôtesse : « On demande mademoiselle Nelly Marchand... je répète... on demande mademoiselle Nelly Marchand... passagère du vol TWA 408... qui est priée de se rendre au Point de Rencontre...

La surprise figea Nelly sur place. Reposant précipitamment sa tasse, elle jeta quelques pièces sur le comptoir, et partit à la recherche de l'endroit indiqué. Sûrement, Hélène avait oublié de lui dire quelque chose... Tandis que l'annonce se répétait, elle bouscula dans sa hâte quelques voyageurs, qui se retournèrent, étonnés, sur cette élégante jeune femme qui avait l'air si pressée.

Parvenue au Point de Rencontre, elle écarquilla les yeux, cherchant en vain dans la foule la silhouette d'Hélène. Elle sentit, soudain, une main sur son épaule qui la fit sursauter. Elle se retourna avec vivacité. Ses yeux et sa bouche s'arrondirent alors avec une expression d'intense stupéfaction : ce n'était pas Hélène, mais Aldo qui lui faisait face.

D'une voix à peine audible, elle balbutia :

— Ce n'est pas possible!

Elle n'eut pas le temps d'achever sa phrase, car il l'avait attirée dans ses bras, et la serrait contre lui de toutes ses forces... Les lèvres dans les cheveux de Nelly, aussi ému qu'elle, il murmurait des mots sans suite.

— Ma chérie... oh! ma chérie... enfin!

Incapable de parler, Nelly était secouée de sanglots. Lui relevant son visage mouillé de larmes, il le couvrit de baisers, puis il chuchota à son oreille :

— Comme tu m'as manqué... Dire que j'ai failli te perdre à nouveau... il n'était que temps!

Il l'embrassa avec emportement. Submergée par une vague de bonheur, elle répondit, cette fois avec fougue à son baiser. Ils restèrent ainsi un long moment l'un contre l'autre, unis dans une étreinte passionnée, indifférents aux regards des voyageurs qui observaient à la dérobée ce couple si visiblement épris d'une grande passion.

Les trois notes d'un carillon retentirent, puis une voix féminine annonça : « Les passagers du vol TWA 408 sont priés... »

Nelly tressaillit en entendant l'appel lancé par les haut-parleurs. Mais Aldo resserra son étreinte. D'une voix enrouée d'émotion, il lui dit tout bas :

— Je ne supporterais pas que tu me quittes maintenant que je t'ai enfin retrouvée...

— Comment pouvais-je savoir? Je croyais que tu m'avais oubliée... répondit-elle, en cachant son visage contre sa poitrine.

A travers sa chemise, elle sentait ses muscles durs.

— Moi, t'oublier ? Je n'ai cessé de penser à toi... il s'est passé tant de choses, tu sais...

— Je suis au courant. Je te demande pardon...

— Pardon ? Mais de quoi ?

— D'avoir si peu cru en toi. Je m'étais imaginé des choses affreuses.

— Ce n'est pas ta faute. Tu ne pouvais pas comprendre... et à ce moment-là, il m'était impossible de tout t'expliquer.

— Mais comment m'as-tu laissée partir ainsi, sur un tel malentendu ?

— Je te le répète : il y avait beaucoup de choses que je ne pouvais pas te dire... pas encore. Mais je savais que, dès que je le pourrais, je sauterais dans le premier avion pour te rejoindre...

— Il s'en est fallu de peu ! Mais, au fait, comment as-tu fait pour me retrouver ?

— A mon arrivée à Paris, ce matin, j'ai téléphoné partout. Chez toi, ça ne répondait pas... j'ai appelé aux studios de la télévision. Il m'a fallu un bon moment avant d'avoir enfin quelqu'un qui m'annonce que tu partais aujourd'hui même pour les États-Unis... J'étais effondré ! J'ai demandé sur quel vol, en prétextant que j'avais besoin de te joindre de façon urgente. La secrétaire a dû me prendre pour un fou... mais elle m'a donné le renseignement que je voulais... et me voilà !

Nelly se serra encore plus fort contre lui. Étroitement enlacés, ils marchaient au hasard, aveugles et sourds à tout ce qui se passait autour d'eux.

Aldo s'écarta d'elle tout à coup, et s'immobilisa pour la contempler des pieds à la tête. Il s'exclama, admiratif :

— Comme ma petite sauvageonne est devenue élégante! J'ai peine à reconnaître la petite chèvre capricieuse qui sautait de rocher en rocher...

Pour toute réponse, elle lui passa les bras autour du cou, et lui tendit ses lèvres. S'arrachant avec peine à son étreinte, elle murmura, les yeux clos...

— Oh! je voudrais que cet instant n'ait pas de fin...

Une nouvelle fois, la voix anonyme appela les voyageurs retardataires du vol TWA 408...

Ils échangèrent un regard. Nelly savait que, de la décision qu'elle allait prendre à cet instant précis, le cours de sa vie basculerait irrémédiablement. Cependant, elle n'eut pas l'ombre d'une hésitation.

— Allons-nous-en...

Il ferma les yeux et porta la main de Nelly à ses lèvres. Quand il les rouvrit, elle vit que son visage avait pris une expression grave, presque sévère. Plongeant son regard dans le sien, il articula lentement, en détachant chaque syllabe :

— Sais-tu ce que je désire le plus au monde, depuis des jours et des jours?

— N... non.

— Que tu deviennes ma femme.

CHAPITRE XIV

A ces mots, Nelly resta privée de réaction. Dans le brouhaha général, avait-elle bien entendu ? Comme dans un songe, elle se laissa entraîner par Aldo, qui la tenait fermement par la main. Ils prirent un ascenseur... des portes s'ouvraient et se refermaient silencieusement sur leur passage... une portière claqua. Sur la banquette moelleuse du taxi qui roulait sur l'autoroute, elle reprit peu à peu conscience de la réalité. Comme pour se persuader qu'elle ne rêvait pas, elle agrippa le bras d'Aldo. Sous ses doigts, elle sentit l'étoffe rêche de sa veste. C'était donc bien vrai... il était là, à ses côtés, cet homme qu'elle aimait d'un amour fou... sans bornes...

Il lui adressa un sourire qui la fit fondre de tendresse. Quand il la regardait ainsi, il avait une expression qu'elle ne lui connaissait pas. Ses traits burinés étaient adoucis, rajeunis par la joie presque enfantine qui éclairait ses yeux noirs.

Il passa son bras autour de ses épaules, et la serra bien fort contre lui.

— Où allons-nous ? murmura-t-elle.

— Je n'en ai aucune idée. Ce qui m'importe, c'est d'être avec toi.

Elle réfléchit quelques secondes. Elle aussi n'avait qu'une envie : se retrouver seule avec Aldo, quelque part où ils seraient tranquilles. Elle toussa pour affermir sa voix et, se penchant vers le chauffeur, elle donna son adresse.

Aldo lui souffla à l'oreille :

— Tu n'as donc pas peur de faire entrer le loup chez toi ?

— Je suppose qu'il ne va pas me dévorer toute crue, n'est-ce pas ?

En disant cela, elle le regarda bien en face, gaiement, et ils éclatèrent de rire.

Quand le taxi s'arrêta enfin, ni l'un ni l'autre n'auraient pu dire combien de temps avait duré le trajet... Tandis que, debout sur le trottoir, il réglait la course au chauffeur, Nelly contempla la haute silhouette bien découplée d'Aldo. Elle ne savait si elle le préférait tel qu'elle l'avait connu, décontracté, en jean délavé, chemise ouverte sur la poitrine... ou ainsi, sobrement élégant, dans un léger costume d'été beige, une chemise de toile bleu clair, et une cravate de tricot... Décidément, quelle que soit sa tenue, il lui plaisait tel qu'il était.

La porte d'entrée de l'appartement à peine refermée sur eux, il l'enlaça à nouveau et l'embrassa avec passion. Il fallut à Nelly un énorme effort de volonté pour se dégager avec douceur, quand elle sentit ses caresses devenir plus brutales, plus précises. D'une voix enrouée, il lui demanda sur un ton de reproche :

— Qu'y a-t-il ? Tu n'es plus une petite fille pourtant, alors que crains-tu ?

— Rien du tout... mais laisse-moi m'habituer à ce bonheur de t'avoir retrouvé... je m'y attendais si peu !

Il se détendit et lui sourit.

— Pardonne-moi. Tu sais, il est difficile à un homme amoureux de résister au charme de la femme qu'il aime. La tentation est trop forte !

— Oh ! ne crois pas que je sois insensible... seulement j'ai du mal à réaliser ce qui nous arrive. J'ai l'impression d'être au milieu d'un tourbillon qui m'entraînerait loin de rivages connus... je ne sais pas comment t'expliquer.

— Si, je comprends. Moi aussi, je croyais t'avoir perdue pour toujours, depuis cette matinée où nous nous sommes quittés. Il y avait une telle colère dans ton regard !

— Et un tel chagrin aussi. Je t'aimais et je te détestais à la fois ! Je n'ai jamais été aussi malheureuse que pendant les jours qui ont suivi...

— Mon petit...

Il l'attira à nouveau contre lui, avec tendresse cette fois.

— Tu sais, malgré les apparences, je n'étais pas le sale type que tu croyais...

— Je sais.

Il leva les sourcils, étonné.

— Comment ça ?

— Je suis tombée par hasard sur un article dans un journal... il y avait des photos de toi, de Sandra... j'ai compris, mais trop tard, à quelle terrible histoire tu avais été mêlé...

Du bout des doigts, elle lui effleura le visage. Elle poursuivit, l'air pensif :

— Si j'avais su...

Il lui saisit le poignet qu'il immobilisa, et il déposa un léger baiser dans le creux de sa main.

— Maintenant, je peux tout t'expliquer.

— Nous avons tout le temps. Mais d'abord, installe-toi confortablement dans le salon... je vais chercher quelque chose à boire. Et puis, il faut que je téléphone à Bob...

Le visage d'Aldo se rembrunit.

— A Bob ? Qui est-ce ?

Devant son air subitement renfrogné, Nelly ne put s'empêcher de rire.

— Serais-tu déjà jaloux, par hasard ?

— Je suppose que les admirateurs ne te manquent pas, et que tu n'as pas dû vivre cloîtrée en m'attendant...

— Je n'ai rien à te cacher. Rassure-toi... Bob est un Américain qui travaille à la télévision à New York. J'avais rendez-vous avec lui pour discuter d'un contrat. La moindre des politesses est tout de même de le prévenir que l'avion qui devait m'amener va atterrir sans moi...

Aldo parut soulagé. Sans plus de façons, comme s'il se sentait chez lui, il alla s'asseoir sur le canapé dans le salon. Il lui adressa un clin d'œil complice :

— Je t'attends... mais reviens-moi vite !

Avant de s'éclipser dans sa chambre pour téléphoner, Nelly déposa près de lui, sur une table basse, un verre avec des glaçons, de l'eau gazeuse, et une bouteille de whisky.

Quand elle revint, au bout d'un long moment, elle vit qu'il n'avait pas bougé. La bouteille était intacte... Il n'avait touché à rien. Le regard tourné vers la fenêtre, il avait l'air absorbé dans ses pensées. Elle s'inquiéta :

— Quelque chose ne va pas ?

— Je me demande si j'avais le droit de te faire renoncer à tes projets. Toi, si passionnée par ton métier... tu m'en voudras peut-être un jour terriblement...

Elle s'assit par terre, près de lui, et posa sa tête sur les genoux d'Aldo.

— C'est moi seule qui ai pris cette décision. Et puis, quelle importance ? Maintenant, je ne sais plus qu'une chose : c'est que je ne pourrai plus vivre loin de toi, désormais.

Il lui passa doucement la main dans les cheveux.

— Moi non plus... Je crois bien que, cette fois, le vieux loup en a assez de sa solitude...

Elle releva la tête pour lui sourire. Dieu! qu'il était beau! Plus encore que dans ses souvenirs. Sa crinière de cheveux sombres rejetée en arrière dégageait son front haut et lisse, barré par la ligne des sourcils épais et bien dessinés. Il lui semblait que le modelé de son visage avait perdu de sa sévérité. Les plis amers, de chaque côté de la bouche, avaient disparu. Il avait l'air... oui, c'était ça... il avait l'air plus heureux qu'auparavant.

— Aldo... il y a une chose que je voulais te demander... qui m'obsède depuis longtemps... Pourquoi, dès mon arrivée dans l'île, paraissais-tu te méfier tellement de moi?

— Je sais bien, à présent, que c'était ridicule, mais, à ce moment-là, j'en étais venu à soupçonner tout le monde... les inconnus surtout. Or, nous nous connaissions de fraîche date...

— Mais de quoi, diable, pouvais-tu me soupçonner? Est-ce que j'avais l'air d'un bandit de grand chemin?

Il rit.

— Justement. Ton air innocent pouvait très bien cacher autre chose!

Il reprit son sérieux, et continua:

— Je suppose que tu sais maintenant que Sandra est ma sœur?

— Oui, je l'ai appris en lisant ce fameux article. J'avoue que ça m'a bouleversée... mais comme c'était en italien, il y a un tas de choses que je n'ai pas compris.

— Eh bien, voilà. Il faut que je te raconte tout, depuis le début. J'étais très jeune lorsque j'ai perdu ma mère, à la naissance de Sandra. Aussi, nous avons tous les deux été élevés par mon père que Sandra adorait. Comme elle était de santé très fragile, il l'entourait de beaucoup de soins, de beaucoup de tendresse. Quand il est mort, il y a deux ans, elle a éprouvé un terrible choc, et elle ne s'en est jamais vraiment remise. Depuis, elle a subi plusieurs traitements dans des cliniques spécialisées, en Italie, et en Suisse...

Nelly se remémora le doux visage de la jeune fille, son regard habité par cette lueur étrange qui l'avait frappée.

— Elle n'est pas guérie, n'est-ce pas ?

— Hélas, non. Il y a des moments où elle va mieux, elle mène alors une vie normale, mais, rapidement, elle redevient dépressive... Tu comprends, elle n'a plus que moi pour l'aimer, la protéger...

— La pauvre ! C'est affreux...

Il alluma une cigarette dont il tira quelques bouffées, en silence. Nelly s'aperçut qu'une ride profonde barrait son front. Elle n'osait pas poser de questions, attendant qu'il reprenne le cours de son récit. Après avoir nerveusement écrasé le bout de sa cigarette dans un cendrier, il poursuivit :

— Il y a environ deux mois, à Rome, j'ai reçu un jour un coup de téléphone mystérieux : une voix d'homme, anonyme, m'annonçait que si je ne versais pas une rançon — le montant en était énorme — ma Sandra serait enlevée. Avant de raccrocher, mon interlocuteur a ajouté qu'il agissait au nom d'un mouvement terroriste. Tu sais, je pense, qu'il y a pas mal d'agitation politique en ce moment en Italie. Aussi, ai-je pris cette menace très au sérieux. Pourtant, j'ai beaucoup hésité... Ce n'était pas tant à cause de l'argent, parce que, de ce côté-là, ça ne posait pas trop de problèmes, mais surtout, parce que, par nature, je répugnais à céder au chantage... Plusieurs fois, cet homme a rappelé, de plus en plus pressant. Alors, après avoir bien réfléchi, j'ai pris la décision d'emmener Sandra au loin, dans une retraite où elle ne risquerait rien. Je me suis souvenu qu'un ami de mon père, le marquis de Balduzzi, possédait cette île en Sicile, que tu connais à présent... Très généreusement, il a tout de suite accepté de la mettre à notre disposition, sans poser trop de questions...

En entendant ce nom, Nelly frémit imperceptiblement... Comment avait-elle pu se conduire aussi sottement ?

— Mais tu n'as pas averti la police ?

— Bien sûr que si... Je l'ai mise au courant dès le début. C'est d'ailleurs par elle que j'ai su que cette bande de malfaiteurs, sous le couvert de politique, avait des ramifications internationales, et des complicités un peu partout... Elle avait retrouvé leur trace, mais elle attendait le moment favorable pour mettre la main dessus. En attendant, elle m'avait recommandé la plus grande prudence.

— Et c'est à ce moment-là que je me suis trouvée sur ton chemin par hasard ?

— Exactement. Il se trouve que, par la plus grande des coïncidences, tu avais pris le même avion que deux des terroristes en venant à Palerme. C'est pourquoi, la police t'a filée depuis ton arrivée, comme les autres, sans que tu t'en rendes compte...

— Ce qui explique que tu aies été si bien renseigné sur mes déplacements... murmura-t-elle, songeuse.

— Oui. Vois-tu, tant que je n'avais pas la preuve absolue de ton innocence, j'étais bien obligé de te suspecter... Tu sais, ces gens-là ne reculent devant rien. Ils ont des moyens diaboliques pour parvenir à leurs fins. Avec ton air candide, tu pouvais très bien, sous le prétexte d'un tournage, avoir été envoyée en reconnaissance, en endormant ma méfiance...

Elle s'exclama, en riant de bon cœur :

— Ça me fait tout drôle de m'imaginer en héroïne de

roman policier ! Et quand as-tu compris que je n'étais pour rien dans toute cette histoire ?

— J'avoue que j'avais du mal à te considérer comme une ennemie, d'autant que ton charme était loin de me laisser indifférent, comme tu as pu le remarquer...

Il s'interrompit et glissa sa main dans l'épaisseur des blonds cheveux de Nelly. Doucement, il lui caressa la nuque. Puis, il toussa pour s'éclaircir la voix.

— Mais la police veillait. On m'avait recommandé de surtout ne rien dire, ni rien faire qui puisse la gêner dans sa manœuvre, tant qu'elle n'aurait pas pu ramener la bande au complet dans ses filets... Ils m'ont annoncé au téléphone, le matin où je t'ai ramenée, que tu étais définitivement hors de cause, sans m'en dire plus... il n'y avait donc plus aucune raison pour que je te retienne auprès de moi contre ton gré.

— Pourtant tu avais l'air si fermé, si froid, ce matin-là, que j'avais l'impression que tu me détestais...

— Je t'en voulais, c'est vrai, d'avoir forcé la porte de Sandra à mon insu...

— Comment l'as-tu appris ?

— Mais par elle, évidemment ! Lorsque je suis monté la voir dans sa chambre, peu après ton intrusion, je l'ai trouvée dans tous ses états. Tu sais, elle est si nerveuse, si fragile... cette scène l'avait complètement bouleversée. Elle ne savait pas qui tu étais... ni ce que tu lui voulais. Elle avait peur de tout...

— Oh ! je suis désolée... mais comment pouvais-je savoir ? Je ne comprenais pas que tu puisses enfermer une femme... je pensais que tu te conduisais en véritable bourreau avec elle, en ne la laissant pas aller et venir à sa guise.

— Il m'était impossible d'agir autrement.

Au léger tremblement de sa voix, Nelly mesura combien ces événements avaient dû lui être pénibles. Elle se repentait amèrement de s'être comportée avec autant de délicatesse qu'un éléphant dans un magasin de porcelaine... Il poursuivit :

— Sandra est une malade, une grande malade. Il faut sans cesse la ménager, lui éviter le moindre choc... Quand une crise survient, elle est capable de n'importe quoi. Tu comprends maintenant qu'il me fallait absolument la protéger... contre les autres, mais surtout contre elle-même, par tous les moyens, fussent-ils les plus barbares...

— Elle était au courant de la menace qui planait sur elle ?

— Plus ou moins... sinon elle n'aurait pas admis que je l'enferme. Mais je m'étais efforcé de la calmer, de la rassurer.

Nelly, que ces révélations bouleversaient au plus haut point, vint se blottir contre lui. Gravement, elle lui caressa le visage, en murmurant :

— Pardonne-moi...

— Je n'ai pas à te pardonner. Tu ne pouvais pas comprendre ce que cette situation avait d'insensé... Et moi, j'enrageais de ne rien pouvoir te dire... surtout quand j'ai compris que tu considérais Sandra comme une rivale, et moi, comme un véritable Barbe-Bleue... Ton innocence, alors, m'apparaissait évidente ! Quand je t'ai quittée, j'ai bien cru que c'était pour toujours... que tu ne voudrais plus jamais me revoir de ta vie !

Nelly cacha son visage contre l'épaule d'Aldo, pour dissimuler la rougeur qui l'empourprait à ce souvenir. Elle chuchota :

— Si tu savais comme, ce matin-là, j'ai été humiliée par ton éclat de rire... J'avais l'impression que tu te payais ma tête !

— A vrai dire, je ne m'attendais pas à ta réaction !

Avoue que c'était cocasse... Remarque, je reconnais que ta gifle, je ne l'avais pas volée...

A cette évocation, ils furent saisis tous deux d'un fol accès d'hilarité, ce qui eut pour effet de dissiper l'émotion qu'avait fait naître le récit d'Aldo.

Quand ils eurent repris leur sérieux, Aldo prit le visage de Nelly entre ses deux mains, et dit, en la regardant droit dans les yeux :

— Ma chérie, tu ne peux imaginer comme cela m'a été difficile de lutter contre l'attirance que j'avais pour toi. Les circonstances me forçaient à agir contre ma nature. Je devais me montrer dur et inflexible envers toi, alors que je n'avais envie que d'une chose : te dire que j'étais tombé éperdument amoureux de toi. Tu ne sauras jamais comme je me suis haï de te traiter ainsi....

Nelly se laissait bercer par les accents chantants de cette voix chaude qu'elle aimait tant. Et, à l'idée que son amour était partagé, elle éprouvait une merveilleuse sensation de bonheur. Elle dit à mi-voix, comme pour elle-même :

— Qu'importent ces mauvais souvenirs puisque cet horrible cauchemar est terminé... Oh ! Aldo... je suis si heureuse... si heureuse !

Elle n'alla pas jusqu'au bout de sa phrase, parce que les lèvres d'Aldo se posèrent sur les siennes. Elles étaient infiniment douces et tièdes. A ce contact, un long frémissement la parcourut tout entière, et elle s'abandonna avec passion à son baiser. Elle aurait voulu que cet instant durât une éternité. Mais Aldo, poussant un gémissement, s'écarta d'elle. D'une voix enrouée, il murmura tout bas :

— Quand tu m'embrasses comme ça... tu ne peux pas savoir l'effet que tu as sur moi. Ma chérie, notre séparation n'a que trop duré...

Une lueur de malice dans les yeux, Nelly le questionna :

— Ce qui veut dire ?

— Que je veux t'épouser le plus tôt possible !

Ces mots résonnèrent aux oreilles de Nelly comme un écho sans fin. Même dans ses rêveries les plus secrètes, elle n'avait jamais voulu s'abandonner à une telle chimère... Le mariage lui avait toujours paru une entreprise un peu folle. En tout cas, jalouse de sa liberté, elle n'avait jamais, jusque-là, été tentée d'y mettre fin de cette manière... Aussi l'intense émotion qui venait de s'emparer d'elle la laissait comme anéantie. La voix d'Aldo lui fit reprendre ses esprits :

— Nelly... tu ne réponds rien ?

Elle ouvrit les yeux qu'elle avait tenus obstinément clos, et se jetant à son cou, elle s'exclama :

— Maintenant, je sais ce que c'est !

— Quoi donc ?

— Le bonheur !

Quelques semaines plus tard, leur mariage fut célébré dans une ravissante petite église, éclaboussée par les rayons encore chauds d'un soleil automnal. Une simple église de village dans la campagne romaine. Aldo avait tenu à ce que la cérémonie se déroulât à Monticello, berceau de sa famille, où se trouvait la demeure de ses ancêtres.

Désireux, par-dessus tout, d'éviter la présence des *paparazzi*, ces photographes à l'affût de clichés sensationnels, qui n'auraient sûrement pas manqué de venir troubler la célébration si elle avait eu lieu à Rome, Aldo avait dû, pour déjouer leur vigilance, employer des ruses de Sioux. C'est donc dans le secret le plus absolu que s'étaient effectués les préparatifs du mariage.

La cérémonie achevée, immobiles sur le seuil de l'église, Aldo et Nelly furent salués par une explosion de joyeux vivats. Dans la petite foule qui se pressait autour d'eux, Nelly remarqua parmi les villageois revêtus de leurs beaux atours, Massimo et Léa à qui elle adressa un sourire en signe de reconnaissance. Non loin d'eux, se tenait Hélène, dans une jolie robe de mousseline bleue. Nelly avait voulu que sa meilleure amie soit son témoin. Celui d'Aldo était le marquis de Balduzzi, venu tout exprès de Palerme.

Dès son arrivée, à la façon dont, devant elle, il avait chaleureusement félicité Aldo de son choix, Nelly avait compris qu'il ne lui avait pas tenu rigueur de sa mémorable visite en compagnie d'Hélène, ce qui l'avait soulagée d'un grand poids. Parmi les invités, se détachait sa haute et noble silhouette. Nelly le vit se pencher vers Sandra, dont le visage rayonnant lui réjouit le cœur. Bien qu'elle la connaisse encore peu, Nelly s'était montrée affectueuse et pleine d'attentions envers celle qui était désormais sa belle-sœur. Elle s'était promis de s'en faire une véritable amie... Vêtue d'un délicat ensemble de shantoung blanc, Sandra paraissait encore plus frêle et fragile qu'à l'ordinaire, mais dans son regard brillait une lueur nouvelle: manifestement, elle avait l'air heureuse, elle aussi.

Nelly eut un soupir de bonheur: tous les êtres qui leur étaient chers étaient rassemblés là, autour d'eux. Elle serra un peu plus fort le bras d'Aldo, qui se tourna vers elle pour lui sourire. L'unique photographe convié à la cérémonie en profita pour prendre quelques clichés.

Tout le monde se retrouva, peu après, dans le parc ombragé de cyprès et de magnolias de la vieille demeure familiale, qui semblait se réveiller après un long sommeil... Pendant les jours qui avaient précédé le mariage, elle avait été le théâtre d'une agitation inaccoutumée... Il avait fallu nettoyer, astiquer, décorer les vastes pièces de réception. Dans la cuisine, également, une activité fébrile avait régné pour les préparatifs du repas de noce. Aldo avait voulu que le village entier soit associé à la fête...

Un bal champêtre devait clore les réjouissances. Ce fut, bien sûr, Aldo et Nelly qui l'ouvrirent, aussitôt suivis par des couples qui, les uns après les autres, se mirent à tournoyer aux accents aigrelets d'un orchestre de mandolines...

La tiédeur de l'air, la chaleur des vins avaient un peu tourné les têtes. Des rires fusaient partout. Même Sandra dansait à perdre haleine, sous l'œil attentif d'Aldo. Hélène avait retrouvé Marco, son flirt de l'été. Elle paraissait si heureuse que Nelly se félicita d'avoir eu la bonne idée de demander à Massimo et Léa d'amener le jeune homme avec eux.

Un peu étourdie par cette atmosphère de fête, elle appuya tendrement sa tête sur l'épaule d'Aldo en regardant sa main où brillait un anneau d'or.

— Mon mari... il va falloir que je m'habitue à ce mot...

Pour toute réponse, il lui glissa un baiser dans le cou... Elle se sentait déborder de bonheur, mais elle savait bien que ce qui lui restait à découvrir était encore meilleur.

Quand, tard dans la nuit, les derniers invités s'en allèrent, Aldo et Nelly s'étaient déjà éclipsés. A présent, leur voiture roulait sur l'autoroute, déserte à cette heure. Aux premières heures du jour, ils arrivèrent à Naples, juste au moment où le soleil levant embrasait la baie.

Plus tard, sur la plage arrière du paquebot où ils venaient d'embarquer, serrés l'un contre l'autre, ils contemplaient le spectacle grandiose qui s'offrait à leurs yeux. Nelly ignorait où le grand navire qui s'apprêtait à appareiller allait les mener en voyage de noces... Aldo avait voulu lui en faire la surprise.

Au moment où la sirène retentit, annonçant le départ, il murmura quelque chose qu'elle ne put entendre à cause du bruit. Quand le silence se fit à nouveau, seulement troublé par le cri des mouettes et le crissement des chaînes contre le flanc du bateau, il répéta, cette fois distinctement :

— Tu es la seule femme que j'aie jamais aimée...

Alors, seulement, Nelly comprit qu'elle n'avait rien désiré au monde davantage que ces paroles prononcées par l'homme qu'elle adorait. Son bonheur était tel qu'il l'étreignait presque douloureusement.

Ils restèrent ainsi, immobiles, serrés l'un contre l'autre, tandis que le bateau s'éloignait du rivage, laissant dans son sillage un bouillonnement d'écume.

LA COMPOSITION, L'IMPRESSION ET LE BROCHAGE DE CE LIVRE
ONT ÉTÉ EFFECTUÉS PAR FIRMIN-DIDOT S.A.
POUR LE COMPTE DES PRESSES DE LA CITÉ
ACHEVÉ D'IMPRIMER LE 23 JUILLET 1979

Imprimé en France
Dépôt légal : 3e trimestre 1979
N° d'édition : 4105 — N° d'impression : 4496

COLLECTION TURQUOISE

ÈVE SAINT-BENOIT

LA FIANCEE DU DESERT

En arrivant au palais estival
d'un prince oriental,
Jeanne Roche compte avant tout
sur son intelligence et sa beauté.
Elle apprendra à ses dépens
qu'elle doit aussi compter sur son courage.
Dans cet univers impitoyable,
où le plus fort gagne toujours,
un seul homme pourrait aider Jeanne.
Or Roland Duvivier est une énigme
et une vieille prédiction
hante l'esprit de la jeune fille...

NELLY

LA NUIT EST A NOUS

De Paris aux bords du lac Léman,
Bérénice cherche à oublier Francis...
Pourtant, l'aventure fait irruption
dans sa vie : fuyant la mort
qui la guette dans son pays,
une jeune princesse iranienne
lui demande protection.
Francis sera alors au rendez-vous et,
avec lui, Bérénice vivra en Iran
une aventure hors du commun
où se mêleront l'amour et le danger.

ALIX LATOUR

MIRAGE A SAN FRANCISCO

Gratte-ciel reflétés
dans une baie prestigieuse,
immense pont rouge à l'orée du Pacifique :
San Francisco.
Sylvie se croit dans un conte oriental.
Un soir, un camarade la conduit
dans une somptueuse propriété
californienne, de l'autre côté de l'eau.
Elle y rencontre Ladislas,
un homme encore jeune
et terriblement séduisant...
Peut-elle se laisser porter par son rêve,
et ce prince polonais
a-t-il encore droit au bonheur?